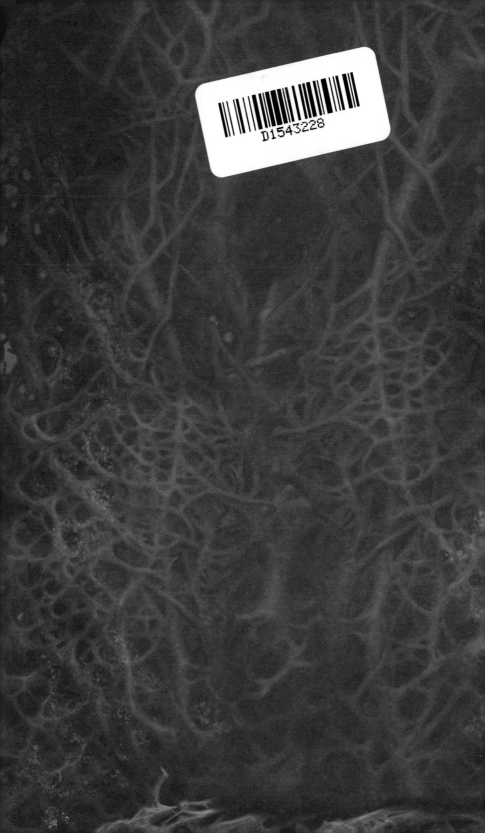

D1543228

Laura Gallego García

Alas
de Fuego

WITHDRAWN

LABERINTO

Primera edición en cartoné: abril de 2009
Segunda edición en cartoné: mayo de 2009
Tercera edición en cartoné: junio de 2009
Cuarta edición en cartoné: septiembre de 2009

Edición: Ana Belén Valverde Elices
Ilustración de cubierta: Paolo Barbieri
Diseño de cubierta e interior: Equipo Laberinto

© LAURA GALLEGO GARCÍA, 2004
    www.lauragallego.com
© EDICIONES DEL LABERINTO, 2009
    laberinto@edicioneslaberinto.es
    www.edicioneslaberinto.es
    www.alasnegras.es
    Tel.: 91 310 28 26
    Fax: 91 310 28 30

ISBN: 978-84-8483-389-5
Depósito Legal: M-40746-2009

Imprime:
Gráficas Fernández Ciudad

Printed in Spain - Impreso en España

LIBRO SOLIDARIO Desde 1995, el 0,7 de los beneficios empresariales se destinan a proyectos de desarrollo
en el Tercer Mundo a través de Organizaciones No Gubernamentales.

Todos los derechos reservados. No está permitida la reimpresión de parte alguna de este libro, ni tampoco su
reproducción, ni utilización, en cualquier forma o por cualquier medio, bien sea electrónico, mecánico o de
otro tipo, tanto conocido como los que puedan inventarse, incluyendo el fotocopiado o grabación, ni se permite su almacenamiento en un sistema de información y recuperación, sin el permiso anticipado y por escrito
del editor.

SPA
ADULTO
JOVEN
FANTASY
GALLEGO

Laura Gallego García

Alas de Fuego

McHenry Public Library District
809 N. Front Street
McHenry, IL. 60050

LABERINTO

El guerrero de la luz, sin querer,
da un paso en falso y se hunde en el abismo.
Los fantasmas lo asustan, la soledad lo atormenta.
Como había buscado el Buen Combate,
no pensaba que esto pudiera sucederle a él; pero sucedió.
Rodeado de oscuridad, se comunica con su maestro:
—Maestro, caí en el abismo —dice—.
Las aguas son hondas y oscuras.
—Recuerda esto —dice el maestro—.
Lo que ahoga a alguien no es la inmersión,
sino el hecho de permanecer bajo el agua.
Y el guerrero usa sus fuerzas
para salir de la situación en la que se encuentra.

Paulo Coelho, *Manual del guerrero de la luz.*

I

La reina Marla se hallaba asomada al amplio balcón del salón del trono, viendo combatir a su ángel, cuando recibió la noticia del asesinato del conde Aren. El mensajero le habló al oído, de manera que nadie más pudo escucharlo, pero los labios de ella se fruncieron levemente. Aquella fue su única reacción.

No comentó el asunto con nadie más.

Cuando el mensajero se retiró, la reina Marla continuó en la misma posición, asomada a la balconada, como si la noticia hubiese sido del todo intranscendente.

La reina Marla tenía diecisiete años, y era la soberana de una nación resplandeciente, pero rodeada de reyes ambiciosos que deseaban ampliar su territorio.

Marla había aprendido desde niña a no mostrar sus sentimientos, porque no ignoraba que tenía espías en la corte. Todo el mundo sabía que no confiaba en nadie.

Salvo, quizá, en su ángel.

Abajo, en el patio, dos figuras se batían en un duelo de espadas. Una de ellas era un feroz bárbaro que había venido desde las llanuras del este para tratar de alcanzar la fama como combatiente en los Juegos de Karishia, la capital del reino. En los tres meses que llevaba luchando todavía no había perdido un solo combate. Cuando saltaba a la arena, todos vociferaban su nombre, enardecidos. Pero cuando caminaba por las calles de la ciudad, exhibiendo su poderosa musculatura, la gente se apartaba a su paso, intimidada.

Había hecho fortuna en los Juegos y era admirado y respetado. Una noche, en una fiesta, había afirmado que sería capaz de derrotar al ángel de la reina Marla. Estaba borracho cuando lo dijo, pero, de todos modos, la noticia del desafío había corrido por toda Karishia, y él no había tenido más remedio que hacer llegar al palacio un reto formal.

Todos sabían que al ángel no le gustaba luchar en peleas banales. Pero el bárbaro era famoso, y el desafío había despertado mucha expectación. La propia Marla le había pedido que combatiese.

Y allí estaba ella. Cubría su cuerpo con una armadura de oro, reluciente como el mismo sol. Sus cabellos negros, recogidos en un complicado peinado de trenzas, se le desparramaban por los hombros, rectos y orgullosos. Había extendido sus grandes alas blancas, y su sombra parecía cubrirlo todo. Era casi tan alta como el enorme bárbaro, pero infinitamente más hermosa.

Su nombre era Ahriel.

El mercenario gruñó, alzó la espada y se lanzó contra ella. Ahriel esperó, seria y serena, con los músculos en tensión. Se movió ágilmente en el último momento y se apartó de la trayectoria del bárbaro, que casi perdió el equilibrio.

No había sido un movimiento muy airoso por su parte. Los espectadores rieron, y el bárbaro gruñó. Pero Ahriel no sonrió.

—¿Por qué no utilizas tus alas, pajarita? —escupió el mercenario—. ¿Por qué no vuelas?

Nadie se había atrevido nunca a hablarle de esa forma al ángel de la reina Marla, pero el bárbaro estaba furioso, y había sido herido en su orgullo de hombre del este.

—No estaríamos en igualdad de condiciones —dijo Ahriel suavemente; su voz sonaba clara y profunda como el tañido de una campana.

El bárbaro gruñó de nuevo y se lanzó sobre ella con un grito salvaje. En esta ocasión, Ahriel no se apartó. Las espadas chocaron. Saltaron chispas.

Los mandobles del luchador eran poderosos, sin duda, pero el ángel movía su arma con elegancia y una seguridad casi sobrehumana, como si estuviese completamente convencida de estar haciendo lo correcto en cada momento.

Y así debía de ser, puesto que, instantes después, la espada del bárbaro salió volando por los aires y aterrizó sobre las baldosas del patio con un sonoro chasquido metálico. Hubo un silencio incrédulo.

El bárbaro, atónito, cayó de rodillas ante el ángel. Se oyeron algunos tímidos aplausos. Ahriel era siempre muy reservada. Todos la admiraban y la temían, pero ella no tenía amigos.

Salvo, quizá, la reina Marla.

—Brujería —susurró el bárbaro.

Ahriel replegó las alas, pero no respondió. No tenía nada que decir.

El luchador no se atrevía a mirar a su alrededor. Había sido vencido de manera humillante. Aunque el ángel no se había ensañado con él, su absoluta imperturbabilidad, que dejaba en evidencia la violenta furia del bárbaro, había convertido su derrota en algo mucho más vergonzoso para él. Sin gritos, sin aspavientos, sin ruido, aquella mujer con alas de pluma blanca lo había dejado en ridículo delante de todo el mundo. Pronto todo Karish conocería hasta el mínimo detalle de aquella pelea.

Su carrera estaba acabada.

El bárbaro alzó la cabeza para mirar al ángel. Ella no sonreía; no había expresión en su rostro. El luchador advirtió la absoluta perfección de sus rasgos y pensó que a la gente podía parecerle hermosa. No más que una estatua de mármol, se dijo. Pura y perfecta, pero fría y sin vida.

—Mátame —le pidió a Ahriel.

Ella negó con la cabeza. Envainó de nuevo la espada, extendió las alas y, con un poderoso impulso, se elevó en el aire. Todos la vieron volar, resplandeciente, con los rayos solares reflejándose en su armadura de oro. Era un espectáculo magnífico.

Ahriel, sin embargo, no se entretuvo con florituras. Abrió las alas un poco más y se quedó suspendida en el aire, delante de la reina Marla, que seguía asomada al balcón.

—Saludos, Ahriel —sonrió ella—. Bien luchado.

—Señora —el ángel inclinó la cabeza ante la soberana de Karish.

—Ahora debes descansar, pero supongo que no tendrás inconveniente en pasar a verme más tarde. Siempre disfruto con tu compañía.

—Si así lo deseas.

Ahriel se despidió de la reina Marla y se elevó hacia las cúpulas más altas del palacio. Pronto la perdieron de vista.

La reina se retiró del balcón, seguida de su séquito. Los espectadores del patio se fueron dispersando.

Momentos después, sólo el bárbaro seguía allí, hundido y abatido sobre las amplias baldosas de piedra.

Ahriel había cambiado su armadura de oro por una sencilla túnica blanca. Su espada seguía, no obstante, prendida en su costado.

Ahora se hallaba sentada ante la reina Marla, en sus aposentos privados. Muy poca gente tenía permiso para entrar allí.

Ahriel tenía la obligación de hacerlo, siempre que fuera necesario.

La reina la miró, pensativa, mientras jugueteaba con el medallón que pendía de su cuello y que siempre llevaba puesto, porque era un regalo del ángel.

Las dos mujeres eran muy diferentes. Ahriel era imponente, alta, serena y resplandeciente como una diosa. Marla era pequeña, pelirroja, impaciente. Con los años, había aprendido a dominar su nerviosismo, porque le iba la vida en ello.

Ahriel le había enseñado.

Ahriel había estado junto a su cuna cuando nació.

Muy pocos, en tierras de humanos, sabían de dónde procedían los ángeles. Algunos aseguraban que descendían de las nubes. La mayoría creía que eran sólo criaturas de leyenda.

Por esta razón, entre otras muchas, hubo tal revuelo en la corte el día en que Marla nació y nada menos que un ángel se presentó en el palacio, solicitando audiencia al anciano rey Briand. Hablaron en privado, y ninguno de los dos hizo a nadie partícipe de lo que se trató en aquella inusitada reunión. Pero, a partir de entonces, Ahriel acompañó a Marla, para protegerla y servirla fielmente, a lo largo de toda su vida como princesa, primero, y como soberana de Karish, después de la muerte de su padre.

Marla había crecido bajo la sombra de las grandes alas de Ahriel. El ángel apenas había cambiado en aquellos diecisiete años, pero hacía ya mucho que la reina había dejado atrás la infancia.

Ahriel se había dado cuenta de ello. Lo apreció, una vez más, en los ojos de su protegida cuando ella le dijo, en voz baja pero desapasionada:

—Ahriel, hay un motivo por el cual quería hablar contigo: han asesinado al conde Aren, el embajador del reino de Saria.

El ángel frunció levemente el ceño, pero no dijo nada. Simplemente, esperó, porque sabía que Marla no había terminado de hablar.

—Fue cuando regresaba a Saria para ofrecer al rey mi propuesta de alianza. Los sarianos han encontrado su cuerpo. Alguien le había clavado un puñal en el corazón —Marla hizo una pausa; después añadió lentamente—. Un puñal forjado en Karishia, muy caro; pertenecía, sin duda, a alguien de la nobleza.

—Comprendo —asintió Ahriel.

Marla fijó en su ángel una mirada llena de preocupación.

—Alguien está intentando culparnos a nosotros del asesinato del conde. Aun suponiendo que el rey de Saria aceptase mi versión, no sé si con eso evitaríamos que nos declarasen la guerra, Ahriel. El conde Aren era muy querido, y en Saria circulan extraños rumores. Dicen que Karish ambiciona expansionarse hacia los reinos vecinos. ¡Los dioses saben que hemos pasado siglos defendiéndonos de las ambiciones de los reinos vecinos!

—Lo sé, señora —la tranquilizó Ahriel.

La reina no pudo quedarse sentada por más tiempo. Se levantó y comenzó a pasear arriba y abajo, nerviosa, reflexionando intensamente.

—Esos estúpidos rumores... —dijo por fin—. Los ataques a mercaderes sarianos en nuestras tierras... y el asesinato del conde Aren, que trabajaba por la paz entre todos los reinos. Alguien está tratando de provocar la guerra, pero... ¿quién?

—Podrían ser radicales sarianos, señora. O el núcleo de imperialistas de Ura. O agentes de otros reinos.

Marla frunció el ceño.

—De todas formas, Ahriel, la partida del conde se hizo en el más absoluto secreto, así como la ruta que seguiría.

—Eso significa que tienes a un traidor más cerca de ti de lo que sería deseable —Ahriel habló con gravedad, pero también con desapasionamiento—. Y, si trabaja para alguien que busca una guerra entre reinos, es posible que tú seas su próximo objetivo.

Marla no dijo nada. Se había detenido junto a la ventana y observaba cómo caía la tarde sobre la ciudad de Karishia.

—No temas, señora —añadió el ángel con suavidad—. Lo encontraré. Y acabará el resto de sus días en Gorlian, porque no merece un destino mejor.

Marla no dijo nada; sólo suspiró, casi imperceptiblemente. Ahriel inclinó brevemente la cabeza y salió de la habitación.

Ahriel encontró a Kab, el capitán de la guardia, en las caballerizas. Kab era un hombre fuerte y robusto, pero sobre todo astuto, que había luchado por Karish en mil batallas. Había comenzado trabajando como mercenario para el difunto rey Briand, el padre de Marla, cuando aún era muy joven. Su fidelidad hacia Karish y sus gobernantes era indiscutible.

—Ahriel —dijo Kab cuando el ángel entró en el establo—. Qué sorpresa.

Ella parecía resplandecer con luz propia en aquel lugar sucio y oscuro, apreció Kab cuando fijó sus ojos penetrantes en ella. Parpadeó, diciéndose que sería un efecto de la luz. Aunque la mayoría de la gente aún pensaba que los ángeles eran espíritus, y no seres de carne y hueso, los habitantes del palacio que habían tenido la ocasión de contemplar a Ahriel de cerca habían comprobado que ella era corpórea, material. A primera vista parecía sobrecogedora, casi una criatura divina. Con el tiempo, Kab había aprendido que los ángeles no eran tan diferentes de los humanos, al fin y al cabo. Desde su punto de vista, los ángeles sólo se diferenciaban de ellos en las alas, la belleza y el orgullo.

Ahriel avanzó sin reparos entre los montones de estiércol. Su rostro no mostraba la menor emoción.

—Kab, necesito hablar contigo. Asuntos de la reina.

El capitán miró al ángel un momento y suspiró. Palmeó el lomo de su yegua favorita, que parecía agotada tras una buena correría, y siguió a Ahriel hasta el exterior.

—Hay una conspiración para llevar al reino a una guerra contra Saria —informó el ángel cuando ambos, lejos de oídos indiscretos, paseaban por el patio—. Tal vez estos planes pasen por atentar contra la vida de la reina.

Kab asintió.

—He oído los rumores.

—Son algo más que rumores. El conde Aren ha sido asesinado, de camino hacia Saria.

Kab la miró fijamente.

—Entonces es más grave de lo que suponía.

—Hay un espía en palacio...

—Hay muchos espías en palacio.

—Éste es bueno, y está próximo a la reina.

Kab se acarició la barbilla, pensativo.

—Supongo que tienes razón. Yo ni siquiera sabía que el conde se había marchado. Y créeme, sé bastante de lo que sucede por aquí.

—¿Alguna idea?

Kab negó con la cabeza.

—Todos los hombres y mujeres de mi guardia son karishanos y leales a la reina Marla. Tú conoces y vigilas a los criados: sabes que ninguno de ellos sería capaz de descubrir nada que ella quisiese guardar en secreto. Y, por otro lado, el conde no tuvo relación con nadie mientras estuvo aquí, por consejo de la reina. Si exceptuamos a...

Se acarició la barbilla, pensativo.

—El joven bardo —concluyó—. Es sariano, ¿lo sabías?

—Saria nos ha declarado la guerra —suspiró la reina Marla días después.

Se habían reunido en uno de los salones más antiguos del palacio. Los tapices que recubrían las paredes no tenían precio: habían sido tejidos con motivo de la fundación del reino, varios siglos atrás.

—Confiemos en que el conflicto se solucione rápidamente y regrese el equilibrio a nuestra tierra —dijo Ahriel.

—¡El equilibrio! —repitió Marla—. Siempre estás hablando de ello, Ahriel, pero lo cierto es que nuestro mundo nunca ha conocido el equilibrio.

—Todavía existen distintos reinos. Eso significa que ninguno de ellos ha logrado oprimir a los demás.

Marla se detuvo para mirar fijamente a su ángel.

—¿Piensas de veras que, si alguien se proclamara emperador de todos los reinos, sería para oprimir a sus súbditos?

—Pienso, señora, que si ese emperador fuera elegido de común acuerdo, eso no tendría por qué ocurrir. Pero el odio y las suspicacias están demasiado arraigados en los corazones humanos. No se pondrían de acuerdo. Nadie aceptaría un emperador que no fuese de su tierra.

—Pareces conocernos muy bien, Ahriel.

—Soy una guerrera, pero eso no es lo habitual en mi pueblo. Los ángeles somos, fundamentalmente, observadores. No intervenimos en asuntos humanos salvo cuando éstos amenazan con alterar el equilibrio.

—Lo sé, lo sé, me lo has contado tantas veces... Pero no te he llamado para hablar del equilibrio, Ahriel. Hemos de acabar con esta guerra antes de que empiece y evitar así una larga contienda que desangraría a nuestro pueblo; y para ello he proyectado un plan... para asesinar al rey Ravard de Saria.

Un sonido, algo parecido a una exclamación ahogada, se oyó en el salón. Marla no lo había captado, pero el fino oído de Ahriel lo escuchó con claridad. Con un impulso de sus poderosas alas, llegó al otro extremo de la habitación en un instante y descorrió uno de los tapices.

Se topó con unos ojos castaños que la miraban con temor.

—Kendal —dijo Ahriel.

El bardo dio media vuelta y echó a correr.

Aquello no suponía ninguna sorpresa para Ahriel. Conocía perfectamente la existencia de aquel pasadizo secreto, y se había asegurado de que Kendal lo descubría también. Después de su conversación con Kab en el patio había pasado varios días vigilándolo, y había detectado su comportamiento furtivo; pero necesitaba una prueba concluyente. Por ese motivo había preparado una falsa reunión con la reina en el salón de los tapices. Se había asegurado de que Kendal se enterase, como por casualidad.

Y allí lo tenía.

Ahriel replegó las alas todo lo que pudo para que su alta figura pudiese pasar con facilidad a través del estrecho pasadizo. El muchacho corría ante ella, pero Ahriel sabía que no tenía escapatoria: Kab lo estaría esperando al otro lado.

Súbitamente lo perdió de vista, y dejó de oír sus pisadas en la oscuridad. Siguió adelante y se topó con una figura fornida.

—¡Ahriel! —era la voz de Kab—. ¿Se puede saber qué haces aquí? ¿Dónde se ha metido el chico?

Ella no respondió. Dio la espalda al capitán para volver sobre sus pasos.

—No puede haberse esfumado —gruñó Kab.

—No lo ha hecho —aseguró el ángel, que veía mejor que el humano en la oscuridad—. Mira esto: hay una encrucijada. Un pasillo a la derecha y otro a la izquierda. ¿Cómo hemos podido pasarlos por alto?

Kab gruñó algo y desapareció por el túnel de la derecha. Ahriel se internó por el de la izquierda.

Al cabo de un rato oyó una respiración entrecortada, y supo que había alcanzado a su presa. Entendió enseguida por qué.

El túnel no tenía salida. Probablemente se trataba de un falso pasadizo, para despistar a posibles perseguidores, y el camino correcto era el que había tomado Kab. En cualquier caso, Kendal había caído en la trampa.

Ahriel vio entonces al chico. Estaba acurrucado contra la pared y no se había percatado de su presencia, porque ella era silenciosa como una sombra. Alargó la mano hacia Kendal y lo agarró de la camisa. El bardo gritó, sobresaltado.

—No te muevas —dijo Ahriel fríamente.

Lo registró en la oscuridad, mientras Kendal se hacía a la idea de que lo habían capturado. No llevaba ningún arma.

—¿Qué vais a hacer conmigo? —se atrevió a preguntar.

Ahriel no contestó.

—Por favor —insistió el bardo—. Necesito saberlo. ¿Qué va a pasarme?

—Eso depende de cuánto estés dispuesto a contar —respondió Ahriel, empujándolo para que caminase delante de ella, de vuelta al corredor principal—. Pero yo diría que tu implicación en el asesinato del conde Aren va a costarte cara.

—¿¡Qué!? —soltó el muchacho, estupefacto—. ¡Pero si yo no...!

Se detuvo un momento y miró al ángel.

—Tú no puedes estar de su parte, ¿verdad? —preguntó de pronto—. A ti también te ha engañado.

Ahriel no respondió.

—Yo no traicioné al conde Aren, ¡era mi amigo! —protestó el chico—. ¡Saria no desea la guerra!

—Silencio —dijo Ahriel.

No había levantado el tono de voz, pero no fue necesario. Kendal, intimidado, obedeció.

Sin embargo, cuando estaban a punto de abandonar el túnel ciego, el joven bardo añadió suavemente:

—Karish no ha sido amenazado por otros reinos. Nadie se atrevería a atacar a un país cuya reina está protegida por los ángeles.

Ahriel no replicó.

En aquel momento se hizo visible la entrada del túnel, y vieron la imponente silueta de Kab recortándose contra ella. Kendal se revolvió y trató de escapar, pero Ahriel lo sujetaba con mano de hierro.

—¡Vaya, vaya! —dijo el capitán—. ¡Así que has cogido a la pequeña rata que olisquea tras las puertas!

El muchacho se volvió de nuevo hacia Ahriel, y ella pudo ver que tenía los ojos muy abiertos y estaba temblando de puro terror.

—Por favor, señora, tienes que creerme... —susurró apresuradamente—. Te ha mentido. ¡Lleva años moviendo hilos para apoderarse del reino de Saria!

Kab agarró al chico y lo apartó del ángel con brutalidad.

—Calla, miserable... No molestes a la dama —se volvió hacia ella—. La reina debe de estar esperándote. No te preocupes por este canalla: yo me encargo de él.

Ahriel asintió, pero se quedó un momento en el corredor, viendo cómo el capitán de la guardia arrastraba al muchacho, que se debatía con todas sus fuerzas, hacia el extremo opuesto del túnel. Sabía que éste acababa en el sótano... junto a las mazmorras.

Iba a darse la vuelta cuando aún oyó el grito desesperado de Kendal:

—¡Señora! ¡¡¡El capitán asesinó al conde!!!

Se oyó un golpe y un gemido. Ahriel se giró para ver qué había pasado, y vio a Kab arrastrando al muchacho inconsciente como un fardo desmadejado. También percibió, gracias a su extraordinario sentido de la vista, la extraña mirada que le dirigió el capitán. Y sintió una rara inquietud.

II

uién lo iba a decir —suspiró la reina—. Un chico tan joven... Y cantaba como los ángeles, si me permites la expresión...

—¿Ha confesado?

—Todavía no, pero lo hará. Kab está con él.

Ahriel asintió. Aquel extraño sentimiento de intranquilidad no terminaba de abandonarla.

—¿Te fías de Kab, señora?

La reina se volvió inmediatamente hacia ella.

—Por supuesto. ¿Por qué me haces esa pregunta?

Ahriel se encogió de hombros.

—Vivimos días extraños. No es fácil confiar en alguien.

Marla le dirigió una mirada penetrante.

—Tienes razón, Ahriel. Y ese chico es el ejemplo perfecto del doble juego de Saria. Proclaman a los cuatro vientos que quieren establecer una alianza con Karish, a pesar de que más de la mitad de los sarianos nos odian. Envían a un conde pacifista a tratar con nosotros... y a un espía para que controle al pacifista. Cuando el conde regresa a su tierra, el espía lo comunica a los asesinos sarianos, que lo matan en nuestras tierras y dejan el cuerpo en Saria con un puñal karishano clavado en el corazón. El rey levanta el puño, maldice a Karish y nos declara la guerra; pero ante el resto de los reinos, nosotros aparecemos como culpables, ¿te das cuenta? La confesión del bardo podría poner las cosas en su sitio.

—En tal caso, espero que Kab no se exceda con él.

—¿Por qué?

—Porque, si el muchacho es torturado, confiese lo que confiese, los otros reyes pensarán que lo hemos obligado a hacerlo.

—No lo había pensado —admitió la reina—. Entonces, será mejor que bajes a ver cómo van las cosas.

Ahriel asintió y, sin una palabra, salió de la habitación.

Momentos después descendía por la escalera de caracol que llevaba a las mazmorras. Un espantoso grito la recibió, y el ángel se estremeció al reconocer la voz de Kendal. Se obligó a mantener la calma. «Imparcialidad, justicia, serenidad», se recordó a sí misma.

Avanzó por el pasillo. Los presos se asomaban por la minúscula ventana enrejada para ver quién se acercaba, pero cuando Ahriel se volvía para mirarlos retrocedían, intimidados, hasta el fondo de sus celdas. Quizá, en la límpida mirada del ángel, veían reflejada la negrura de su propia alma, como si de un espejo se tratase.

Se detuvo ante la puerta de la celda de Kendal. Iba a entrar, cuando la voz del muchacho, ronca y entrecortada, pero claramente audible, dijo:

—¡Yo te vi! Saliste tras el conde aquella noche. ¡Eres un asesino!

Ahriel, indignada, puso la mano sobre el pomo de la puerta, pero la risa de Kab y lo que oyó a continuación la detuvieron:

—Sí, es cierto, pero nadie va a saberlo, ¿y sabes por qué? Porque nadie va a creerte, chico. Y en la prisión de Gorlian a nadie le importa un conde más o un conde menos. Así que te conviene colaborar, o de lo contrario...

Ahriel abrió la puerta de golpe. Kendal se acurrucaba contra la pared. Estaba encadenado, y Ahriel vio que su pálido rostro presentaba algunas contusiones. Kab se volvió hacia ella, sobresaltado.

El ángel leyó la verdad en sus ojos.

—Tú —dijo—. Tú asesinaste al conde Aren.

Kab reaccionó deprisa y sacó la espada de la vaina en un rápido movimiento. Pero, cuando la descargó contra el ángel, el acero de ella ya lo estaba esperando. Apenas dos movimientos, y la espada de Kab voló por los aires y rebotó contra las baldosas del suelo. Los ojos del capitán se volvieron hacia la puerta, pero

Ahriel y su espada se interponían entre él y la libertad, y el ángel permanecía firme como una estatua de mármol. Kab la miró, desafiante.

—Ya lo sabes. ¿Qué vas a hacer ahora?

Por toda respuesta, Ahriel descargó su espada. Instintivamente, Kab se cubrió el rostro con el brazo, pero el golpe no llegó. Sin embargo, un fuerte ruido metálico resonó por el calabozo. Kab abrió los ojos y vio que la espada de Ahriel había roto, de un solo golpe, las cadenas que aprisionaban a Kendal.

—Vete —dijo el ángel solamente.

Los ojos de Kab se volvieron hacia el rincón donde yacía su espada. Pero el filo del arma de Ahriel rozaba de nuevo su piel.

El joven bardo se incorporó, tembloroso. Probó a dar unos pasos. Se volvió hacia Ahriel, pero ella no lo miró.

—Gracias —dijo.

Ahriel no respondió. Sus ojos seguían fijos en Kab, quien, muy a su pesar, se encogió sobre sí mismo, intimidado por la fuerza de aquella mirada.

Kendal vaciló. Finalmente, se deslizó por detrás de Ahriel y salió de la celda. Los dos lo oyeron correr por el pasadizo, hacia la libertad.

—A la reina no le va a gustar —gruñó Kab.

—Estoy segura de ello —respondió Ahriel, impasible.

Recogió la espada del capitán y salió de la celda, cerrando la puerta tras de sí. Después de asegurarse de que Kab no podría escapar, se encaminó a los aposentos de la reina.

Mientras subía las escaleras, pensaba en el extraño giro que habían tomado las cosas. Nunca había estado del todo convencida de la culpabilidad del bardo. Y, aunque había creído que podía confiar en Kab, lo cierto era que existían múltiples indicios que habían debido hacerle sospechar de él. Como, por ejemplo, el hecho de que fuese el mismo Kab quien la pusiera sobre la pista de Kendal. O la inexplicada ausencia del capitán la noche del asesinato. Y, por supuesto, las acusaciones del muchacho en el pasadizo, cuando lo capturaron.

Pero ahora estaba todo bajo control. Entregarían a Kab a los sarianos y la paz volvería al reino. Y, aunque en esta ocasión la manzana podrida había alcanzado el mismo corazón del palacio, afortunadamente Ahriel había logrado localizarla antes de que contagiase al resto del cesto.

Pese a que el ángel se presentó ante la reina con su habitual gesto sereno e impasible, ella la conocía bien, y percibió enseguida el brillo de triunfo que había en sus ojos.

—¿Qué ocurre, Ahriel?

—He descubierto al verdadero asesino del conde Aren —respondió ella con calma.

Marla se la quedó mirando. Tapó con un paño una pequeña bola de cristal que había estado contemplando y se levantó.

—¿Qué quieres decir?

Ahriel frunció levemente el ceño. No le gustaba que Marla jugase con aquellos objetos supersticiosos, pero hasta el momento no había logrado apartarla de aquellas extravagantes distracciones. Sin embargo, el asunto que la había llevado hasta allí era más importante, y se centró en él.

—El bardo era inocente. La persona que asesinó al conde Aren está muy lejos de ser un sariano y, desde luego, está más cerca de ti de lo que imaginas.

—Siéntate y cuéntamelo todo con calma —la invitó la reina.

Ahriel obedeció mecánicamente.

—Gracias —murmuró—. Señora, no sé por dónde empezar... Lo que me dijo el bardo... Lo cierto es que no sospechaba de él... Si hubiese estado más atenta...

—Si lo has descubierto, no has hecho tan mal trabajo. Pero, dime, ¿quién...?

—Kab, señora.

Marla se llevó una mano a la boca para ahogar una exclamación.

—Pero Ahriel, debes de estar equivocada... ¿Cómo puedes creer lo que dice un espía sariano, por muy joven que sea?

—El mismo Kab lo ha confesado.

—Creo que necesito un poco de vino —murmuró la reina, pálida.

Ahriel no dijo nada. Siguió sumida en sus pensamientos hasta que Marla le ofreció una copa.

—Nos sentará bien a las dos.

—Sí, gracias —aceptó Ahriel.

Bebieron en silencio hasta que la reina dijo:

—¿Lo sabe alguien más?

—El joven bardo, por supuesto. Por fortuna, he llegado a tiempo de impedir que se castigara injustamente a un inocente.

—¿Lo has liberado?

—Sí. Ahora, Kab ocupa su lugar en la celda.

Marla asintió, pensativa.

—Pero, ¿por qué lo haría? ¿Qué ganaría con ello?

—Eso me tiene muy intrigada —admitió Ahriel—. Kab siempre ha sido fiel a Karish, de eso no hay duda, y no haría nada que tú no...

Ahriel no terminó la frase. Se interrumpió de pronto y miró a Marla, y no le gustó lo que vio en sus ojos. La joven la observaba atentamente, como si estuviese esperando algo, con un brillo calculador en la mirada, mientras enroscaba la cadena de su medallón en torno a sus dedos.

—Lo siento, Ahriel —se disculpó ella al detectar su expresión.

El ángel sintió que algo la desgarraba por dentro. Y no se trataba sólo de la desagradable sospecha de que estaba siendo traicionada; también era algo físico.

—¡El vino! —exclamó de pronto.

Se levantó de un salto, pero las piernas le fallaron y cayó al suelo con estrépito. Trató de levantarse y descubrió que los músculos no la obedecían.

—Ha tardado en hacerte efecto —comentó Marla—. Aunque sé que los ángeles sois físicamente más fuertes que nosotros, los humanos.

Ahriel logró volver la cabeza. Vio a la reina junto a ella, mirándola. Intentó hablar, pero también su boca estaba paralizada.

—¿Por... qué...? —logró decir.

Marla no respondió. Seguía mirándola, pensativa. Su mano se cerró sobre el medallón.

—¿Entiendes lo que esto significa? Sabes demasiado, Ahriel. Hasta ahora me has sido de mucha utilidad: los otros reinos me temen porque tengo un ángel como guarda personal. Pero se me ocurre que puedo emplearte de otra manera. Diré que te he enviado a Saria. Cuando el pueblo vea que no regresas, les haré creer que los traidores sarianos te tienen prisionera. Es una excusa perfecta para comenzar una guerra, ¿no te parece? Mejor que lo de ese estúpido conde. Algo así como: no nos detendremos hasta que nos devuelvan a nuestro ángel. Todos los karishanos estarán encantados de acudir al rescate. Y los demás reinos temerán enfrentarse a mí, por si a los otros ángeles se les ocurre venir a vengar a su guerrera.

—Sabes que... no van a hacerlo —pudo decir Ahriel.

—Yo sí, pero ellos no. La mayor parte de la gente no ha visto nunca un ángel de cerca. ¿Cómo van a saber nada de vuestras costumbres?

—¿Po...r...q-qué...? —repitió Ahriel, desolada.

Marla se inclinó frente a ella y la miró a los ojos.

—Podrías haberte quedado a mi lado, mi ángel. Pero nunca te gustó la idea de un imperio por la fuerza, no, tú siempre hablando de ese maldito equilibrio... ¡sin darte cuenta de que ésta es la única manera de hacer las cosas! Mi ingenuo padre creía en la paz entre reinos... cuando todos los otros reyes estaban deseando aplastarlo para añadir las tierras de Karish a las suyas propias. Pues bien, ya es hora de hacer las cosas de otra manera. Venceremos a Saria con la ayuda de los otros reinos. Y cuando Saria caiga... caerán los demás.

Ahriel lo estaba escuchando todo, impotente, pensando que todo aquello debía de ser producto de una pesadilla. Y, aunque los ángeles no soñaban, ella había pasado suficiente tiempo entre humanos como para saber que un mal sueño no debía de ser muy diferente a aquello que estaba viviendo. Recordó entonces las palabras de Kendal en el pasadizo: «Te ha mentido. ¡Lleva años moviendo hilos para apoderarse del reino de Saria!». Entonces había creído que el muchacho se refería a Kab, y por eso aquella afirmación le había parecido absurda, pero ahora la comprendía con claridad meridiana: el joven bardo había intentado prevenirla de la traición de Marla. Probablemente ella y Kab habían buscado desde el principio un cabeza de turco, y habían elegido a Kendal por ser sariano y amigo del conde. Y habían sembrado el camino de Ahriel de pistas falsas que la llevasen hasta él.

Marla se incorporó.

—¿Has dicho que Kab está encerrado en las mazmorras? Muy divertido. Mandaré a alguien a buscarlo. Y capturaremos de nuevo a ese estúpido bardo. Igual que tú... sabe demasiado.

El ángel abrió la boca para decir algo, pero la pócima terminó de apoderarse de su mente y la arrojó a la más profunda oscuridad.

Cuando abrió de nuevo los ojos, se encontró en una celda húmeda y oscura. Tardó un poco en comprender qué estaba pasando.

La reina Marla, a quien ella había educado y protegido desde su nacimiento, la había engañado y traicionado. Y no sólo a ella, sino a todo Karish, incluso a los otros reinos. Por alguna razón que desconocía, Marla deseaba a toda costa aplastar al reino de Saria, y por ello había movido los hilos para provocar una guerra y hacer creer a los otros monarcas que el belicoso rey Ravard de Saria había atribuido injustamente a Karish el asesinato del conde Aren. Y ahora, Marla acusaría a Saria de haber secuestrado a Ahriel.

«¿Por qué? ¿Por qué?», se preguntó, desolada. «Le he enseñado desde que era una niña que la guerra es caótica y que toda criatura tiene derecho a vivir en paz. ¿Qué le ha pasado a la pequeña Marla?»

Trató de levantarse, pero los efectos del vino emponzoñado todavía no se habían disipado por completo. Se dejó caer, desalentada. Respiró hondo y se resignó a esperar a que le volviesen las fuerzas. Cuando estuviese recuperada, saldría de allí, y entonces...

Entonces, ¿qué?

Pensó en regresar con los suyos, pero enseguida se preguntó cómo iba a explicar a los demás ángeles que había fracasado en su misión, y que el equilibrio del continente estaba a punto de romperse en mil pedazos, como un frágil cristal. Se dio cuenta de que no tendría valor para volver a casa y mirarlos a la cara.

¿Qué otras opciones tenía? ¿Enfrentarse a Marla? No podía. Había hecho un juramento...

Ahriel había sabido siempre, desde que podía recordar, que su destino era ser un ángel guerrero. Había aprendido el arte de la lucha y había puesto su espada al servicio de la justicia y el equilibrio. Nunca había empleado tretas sucias ni trucos bajos. Siempre había peleado cara a cara, noblemente y con honor.

La educación de la princesa Marla había sido su primera misión vital. Ahriel había sabido siempre que después de ésa vendrían otras, puesto que los ángeles eran más longevos que los humanos, y ella seguiría siendo joven mucho después de que muriesen los hijos de Marla. Era una misión importante, pero aparentemente sencilla. Marla debía ser una soberana buena y justa, como lo había sido su padre, el rey Briand. Si un ángel la adiestraba desde su nacimiento, Marla no tenía por qué verse tentada hacia la senda del odio y la ambición. Y el equilibrio prevalecería entre los humanos, durante una generación más.

Ahriel había jurado servir y educar a Marla, y protegerla con su vida. Pero Marla había renegado de todo cuanto Ahriel le había enseñado. A pesar de los desvelos del ángel, la joven reina estaba demostrando despreciar los ideales que regían la vida de su mentora... y se las había arreglado para convencerla de lo contrario durante años.

¿Cómo lo había hecho? En el fondo de su corazón, Ahriel sabía que debería haber adivinado, por múltiples indicios, que Marla tenía sus propias ideas con respecto a la justicia y el equilibrio. Pero lo había dejado correr, creyendo que era bueno que la muchacha pensase por sí misma, en lugar de obedecer ciegamente. Ahora comprendía que debería haber sido más dura con ella, cortando de raíz aquellas peligrosas ideas.

«La he perdido», pensó Ahriel, desolada. «La he perdido. Le he fallado, a ella y a los míos.»

¿Qué debía hacer? No podía enfrentarse a Marla, porque era su protegida y había jurado defenderla. Pero secundarla en sus ambiciosos planes de guerra iba en contra de sus principios más sagrados. Los ángeles eran observadores y pocas veces luchaban, pero cuando lo hacían siempre combatían por ideales de justicia, igualdad y equilibrio.

No, Ahriel no sabía qué camino tomar. Y no estaba acostumbrada a no saber.

Cerró los ojos. Estaba confusa y perdida, y nunca antes se había sentido así. Su alma era un torbellino de sentimientos que jamás había experimentado: rabia, miedo, dolor, impotencia, remordimientos... pero lo peor era aquella espantosa sensación de fracaso.

Pensó entonces que, si el equilibrio del continente se había hundido por su culpa, sería mejor dejar que otros ángeles más competentes que ella se ocupasen de restaurarlo.

Respiró hondo y trató de relajarse. Logró sosegar los latidos de su corazón y consiguió dejar su mente en blanco. Poco a poco, fue entrando en trance, y al cabo de un rato su espíritu flotaba por encima del confuso océano de sentimientos contradictorios que albergaba en su interior.

Ahriel se dejó llevar. Cuando despertase del trance, las dudas se habrían disipado, y el dolor se habría calmado. Cuando volviese en sí, lo vería todo desde una perspectiva diferente.

No habría sabido decir cuánto tiempo permaneció de esta manera, sin moverse, sin pensar, sin sentir. Probablemente transcurrieron varias horas, pero el ángel ya no percibía el paso del tiempo.

Cuando despertó, horas más tarde, deseó no haberlo hecho nunca.

Kab la devolvió brutalmente a la realidad. Entró en la celda acompañado de una figura oscura, pero

Ahriel no tenía fuerzas para alzar la cabeza y averiguar quién era el desconocido. Kab trató de ponerla en pie; sin embargo, el cuerpo de Ahriel aún seguía bajo los efectos del narcótico, y sus piernas no respondían. La dejó entonces sobre el suelo, boca abajo. El desconocido se acercó y se inclinó sobre ella. Ahriel era vagamente consciente de sus movimientos. Su mente se despejó súbitamente, alertada por el roce de las manos del extraño sobre sus alas. Sus plumas se encresparon automáticamente. Nadie tocaba sus alas. Y menos un humano. Quiso moverse, pero no pudo. Quiso hablar, pero la lengua parecía un trapo seco en su boca. Y entonces sintió que algo se movía entre sus alas, algo frío y viscoso. Ahriel dejó escapar un débil gemido de terror. Le respondió una especie de siseo: una serpiente enroscaba sus anillos en torno al nacimiento de sus alas. Pero no se trataba de una serpiente corriente: Ahriel podía percibir claramente que rezumaba odio y maldad, y aquella sensación se iba transmitiendo a cada una de sus plumas, y a toda la superficie de su piel.

Entonces el desconocido pronunció unas palabras en un lenguaje desconocido para Ahriel. Ella percibió enseguida el poder que emanó de sus manos y se transmitió a la odiosa serpiente. Era una energía retorcida y oscura; Ahriel podría haberla contrarrestado con su propio poder, de haberse encontrado en condiciones, y ahora lamentaba no haber luchado con más energía contra los efectos del narcótico la primera vez que despertó en la celda. Entonces pensaba que las cosas no podían ir peor de lo que estaban.

Ahora se daba cuenta de su error. Demasiado tarde.

La serpiente emitió un último y airado siseo y se volvió rígida y fría como el acero. Ahriel ya no la sintió moverse, pero notaba su presencia allí, rodeando sus alas en el punto en el que se unían a su espalda. Aquella cosa le hacía daño, mucho daño, quemaba como el hielo y producía en su piel un dolor intenso y lacerante.

—¿Ya está? —preguntó Kab.

—Sí —dijo el desconocido en voz baja. Se levantó y se separó de ella, y Ahriel comprendió, horrorizada, que los dos hombres pensaban marcharse y dejarla allí, con aquel espantoso artefacto de tortura encadenando sus alas.

Trató de hablar, y por fin sus labios dejaron escapar una súplica desesperada:

—Qui... tádmelo.

Kab lanzó una risa desdeñosa.

—Qui... tadme... esto... por favor —pudo decir Ahriel.

Sólo obtuvo por respuesta el despiadado sonido de la puerta al cerrarse de un golpe y dejarla a solas con su dolor.

Ahriel parpadeó y trató de moverse. Gimió. Sentía su piel ardiendo, como ulcerada por algún tipo de ácido, aunque sabía que lo que le habían puesto, fuera lo que fuese, no le había producido herida alguna.

Pero dolía. Dolía mucho, como si su piel no soportase el contacto con aquella cosa.

Trató de pensar con claridad. El extraño personaje que le había hecho aquello podía ser un hechicero o un sacerdote de algún dios maligno. Se estremeció. Todavía se negaba a creer que Marla tuviese contactos con individuos de aquella calaña. Aunque... ¡sí!, aquello lo explicaba todo. La joven había caído bajo la influencia de alguna secta perversa que empleaba la magia negra para oscuros fines. Ellos habían corrompido su alma.

Trató de levantarse, ignorando el dolor. Debía rescatar a Marla. Debía...

Perdió el equilibrio y cayó al suelo de nuevo. Entonces, horrorizada, comprendió por qué Kab había traído al hechicero a su celda, y qué era lo que le habían hecho.

Aquello que le quemaba la piel, y lo que antes había sido una serpiente enrollada en torno al nacimiento de sus alas, se había convertido en un cepo, un cepo cerrado con magia negra.

Le habían inmovilizado las alas.

Trató de calmarse mientras recuperaba fuerzas e intentaba olvidar el dolor que le producía el contacto con aquella cosa.

Durante las horas siguientes se esforzó por librarse del cepo para poder recuperar la movilidad de las alas. Primero utilizó el poder de su aura, pero el artefacto reaccionó con violencia, produciéndole más dolor, y comprendió que sólo una magia negra semejante a la que había creado el cepo lograría abrirlo de nuevo. Aun así, trató de sacárselo a la fuerza. Tampoco lo consiguió.

Ahriel, atormentada por el dolor y la desesperación, fue debilitándose cada vez más mientras hacía todo lo posible por liberar sus alas. Cuando, agotada, cayó de nuevo sobre el suelo, una sola idea martilleaba su mente.

Jamás volvería a volar.

Para un ángel, aquello era peor que la muerte.

El dolor la persiguió y la torturó hasta que logró hacerle perder de nuevo la consciencia. Por ello, Ahriel no se percató de la presencia de los hombres que entraron en la mazmorra, horas más tarde, para sacarla de allí.

III

Cuando Ahriel se despertó, lo primero que sintió fue el espantoso dolor que le producía el cepo que había atrapado sus alas.

Lo segundo fue el frío.

Abrió los ojos lentamente. La luz hirió sus pupilas. Una ráfaga de viento helado recorrió su cuerpo. «¿Dónde estoy?», se preguntó. Se incorporó, con cuidado. Aún se sentía débil, pero los efectos del narcótico iban remitiendo. Alzó la cabeza y miró a su alrededor.

Ante ella, bajo una tenue luz crepuscular, se extendía un paisaje árido y brumoso que llegaba hasta el mismo horizonte. La piel de la tierra era pura roca, pedregosa y yerma, y sólo los picachos retorcidos y puntiagudos de la cordillera alteraban aquel panorama desolador. Ahriel se estremeció. No había nada vivo allí, por más que el viento, que silbaba furiosamente en sus oídos, se esforzase por ser considerado como tal.

Ahriel frunció el ceño. No conocía aquel lugar. En sus diecisiete años de servicio en Karish había recorrido todo el reino, y no recordaba haber visto nunca un paisaje semejante. «¿Por qué me han traído aquí?», se preguntó. Era muy consciente de que no había salido de la celda por su propio pie. Después de pensarlo un poco, supuso que Marla había decidido enviarla lejos para que no interfiriera en sus planes.

«Oh, pero no voy a quedarme aquí», se dijo el ángel. «Tengo una misión que cumplir.»

A su mente regresaron, con total claridad, todos los detalles de lo que había sucedido tras el asesinato del conde Aren. Cuando recordó al hombre que le había inutilizado las alas, un escalofrío recorrió su espina dorsal, y el cepo pareció oprimirla aún más. Ahriel sintió el dolor con mayor intensidad, y no pudo reprimir un gemido.

—Tengo que salvar a Marla de las garras de esos miserables —murmuró.

El sonido de su propia voz la reconfortó un poco. Probó a levantarse. Las piernas le temblaban un poco, pero no fue eso lo que hizo que Ahriel cayese de nuevo al suelo con estrépito. El ángel intentó levantarse de nuevo y se tambaleó. Comprendió entonces que, aunque las piernas parecían haber recuperado fuerzas, tenía dificultades para mantener el equilibrio ahora que no podía mover las alas. Suspiró. Se sentó de nuevo en el suelo y meditó sobre su siguiente movimiento.

Estaba inválida y desarmada en medio de un desierto. De haber podido volar, su primera reacción habría sido elevarse muy alto en el aire para reconocer el terreno y averiguar en qué dirección quedaba Karishia. Ahora, no le quedaba más remedio que caminar.

Suspiró de nuevo y, lentamente, se puso en pie. Trató de mantener el equilibrio. Después dio un par de pasos, titubeante. Cayó otra vez, magullándose las rodillas. Volvió a levantarse. Una y otra vez.

Hasta que, por fin, logró acostumbrarse a caminar de aquella manera, sin poder utilizar sus alas para guardar el equilibrio; porque, aunque las alas seguían allí, ahora no eran más que un peso muerto a la espalda.

Entonces se detuvo para otear el horizonte. Poseía la clara visión que caracterizaba a todos los ángeles, y pudo distinguir una columna de humo que se elevaba a lo lejos, entre las montañas. Tambaleándose, se dirigió hacia allá.

Una noche oscura, sin estrellas, cayó sobre ella cuando ya alcanzaba la base de la cordillera, y Ahriel tuvo que renunciar a seguir caminando. Se sentó al abrigo de una enorme roca, se envolvió en su delgada túnica blanca y se hizo un ovillo sobre el suelo, tiritando. Hacía mucho frío, y el cepo no le permitía pegar las alas al cuerpo para envolverse en ellas y entrar en calor.

Temblando de frío, el ángel se sumió en un sueño ligero. Sin embargo, sus sentidos seguían alerta; si alguien se acercaba, por mucho cuidado que pusiese en ir con sigilo, Ahriel estaría despierta mucho antes de que lograse llegar hasta ella.

Horas más tarde, un trueno la hizo levantarse de un salto, instintivamente, antes incluso de poder despertarse del todo. Cuando se hizo cargo de la situación, el hecho de seguir sola no la tranquilizó lo más mínimo. Pesadas y oscuras nubes cubrían el cielo nocturno, y el aire venía cargado de humedad. Pero no llevaba consigo la frescura de la lluvia, sino un olor rancio, putrefacto y pegajoso. Ahriel se apresuró a buscar cobijo, y encontró una abertura en la roca justo cuando el cielo comenzaba a descargar sobre la tierra una pesada lluvia torrencial. Ahriel advirtió enseguida que lo que caía era una nauseabunda agua enfangada. Se alegró de haberse dejado llevar por el instinto y haber buscado refugio. El barro se habría adherido a sus alas, petrificando sus plumas al secarse. Pero el dolor que le producía el cepo le recordó enseguida que, de todas formas, ya no podía volar.

Se volvió para examinar el refugio, y se dio cuenta de que era más profundo de lo que había supuesto en un principio. Eso la inquietó, y se dijo que no debería haber entrado allí sin comprobar antes si la cueva estaba habitada o no. Era aquel lugar, se dijo. Producía un extraño efecto en ella. Eso, y el cepo que seguía dolorosamente aferrado a su espalda, y que trataba inútilmente de olvidar. En otras circunstancias, no habría cometido aquel error.

Se llevó la mano al cinto y recordó que estaba desarmada. Respiró hondo. Percibió algo aparte del olor pútrido de la lluvia.

Tal y como había supuesto, había algo vivo en aquella caverna.

Trató de serenarse. No estaba totalmente indefensa. Aunque no pudiera volar y sus movimientos fuesen todavía torpes hasta que se acostumbrase a prescindir de las alas para equilibrarse, aunque estuviese débil y desarmada, aún podría defenderse si la atacaban.

O al menos eso pensaba, hasta que vio a la criatura que se abalanzaba sobre ella desde la oscuridad.

Era un enorme gusano, o eso parecía. Arrastraba su largo cuerpo contrahecho sobre repugnantes patitas rosadas que parecían haber sido colocadas al azar y manoteaban en el aire buscando algo a lo que adherirse. La bestia avanzaba moviendo múltiples apéndices sobre su rostro ciego, que tanteaban las paredes del túnel, descubriendo una espantosa boca torcida y babeante.

Ahriel se quedó paralizada. Nunca había visto nada igual pero, sobre todo, jamás había sentido nada como lo que le transmitía la criatura: por encima de la rabia y el hambre, por encima de su intención asesina, aquella pobre bestia experimentaba un dolor indescriptible. Ahriel comprendió enseguida por qué: el ser parecía haber salido de la delirante creación de un loco. Era como si alguien hubiese querido moldear con barro algún tipo de figura y la hubiese dejado a mitad. Era una criatura deforme, imperfecta, incompleta. Y su cuerpo contrahecho le producía un dolor espantoso.

Fue este descubrimiento lo que impidió a Ahriel reaccionar antes de que el monstruoso gusano lanzase sus apéndices sobre ella. El ángel saltó hacia atrás, pero no pudo evitar que uno de los viscosos tentáculos la golpease con una fuerza extraordinaria, lanzándola contra las rocas. Ahriel gimió de dolor. Se arrastró como pudo hacia la salida mientras los apéndices del gusano tanteaban la cueva tras ella.

Ahriel siguió gateando, desesperada, tratando de escapar. Cuando las primeras gotas de lluvia enfangada cayeron sobre su cabeza sintió también que uno de los tentáculos se enrollaba en torno a su tobillo. Ahriel trató de desasirse, pero la criatura tiró de ella hacia adentro, arrastrándola hacia sus fauces. El ángel se aferró a un saliente. El gusano tiró con más fuerza, y Ahriel oyó que algo se quebraba, sintió un agudo dolor en el tobillo y supo que se lo había fracturado. Agarró una piedra y golpeó con ella el apéndice que la retenía. El ser no pareció notarlo, pero Ahriel insistió hasta que la criatura dejó escapar un sonido chirriante y la soltó.

El ángel se arrastró como pudo fuera de la cueva. Oyó las patitas del gusano chapoteando en el fango y comprendió que la estaba siguiendo. Ahriel se puso en pie y, cojeando, trató de ganar la partida en aquella carrera por su vida. El gusano era lento y pesado, pero ella no podía correr mucho más, y supo que, si no hacía algo, pronto la alcanzaría. Tropezó y cayó sobre el barro, pero no se detuvo. Siguió arrastrándose hasta que sus manos toparon con una formación rocosa. Alzó la cabeza y se vio al pie de una montaña. Comenzó a trepar hacia arriba, y continuó haciéndolo sin mirar atrás; no se detuvo cuando las rocas desgarraron su túnica embarrada, ni cuando sus dedos y rodillas comenzaron a sangrar. Sólo cuando sus manos resbalaron y ella cayó sobre una roca plana, agotada, se concedió un momento de descanso. No necesitó mirar para saber que la criatura ya no la perseguía.

Ahriel respiró profundamente. La lluvia seguía cayendo pesadamente sobre ella; estaba herida, sucia, cansada y hambrienta pero, por lo menos, seguía viva. «¿Qué clase de ser era ése?», se preguntó, con un estremecimiento. «¿Y qué clase de lugar es éste?»

Alzó la cabeza para mirar a su alrededor. La densa cortina de lluvia dificultaba la visibilidad, pero Ahriel llegó a distinguir un destello luminoso un poco más allá.

Se levantó y, cojeando, lo siguió.

Se trataba de un fuego. El ángel vio también las cuatro figuras que se sentaban en torno a él, al abrigo de un saliente rocoso que protegía la llama de la lluvia. Respiró, aliviada, y se acercó.

Eran tres hombres y una mujer. La vieron llegar desde la oscuridad, y la observaron con desconfianza.

Ahriel trató de erguir sus alas, pero el cepo se lo impidió. De todas formas, estaban cubiertas de barro y no presentaban, ni mucho menos, un aspecto tan imponente como de costumbre.

—Saludos —dijo ella.

Los otros no respondieron. Seguían mirándola inquisitivamente, pero hacía falta mucho más que eso para que Ahriel se sintiese incómoda.

—Saludos —repitió—. Me llamo Ahriel, y agradecería que me reservaseis un lugar seco y caliente junto al fuego, para que pueda descansar y curarme de mis heridas.

Los cuatro reaccionaron por fin. Dos de ellos cruzaron una rápida mirada, el tercero clavó los ojos en ella descaradamente y la mujer esbozó una sonrisa socarrona.

—¿Qué nos vas a dar a cambio? —preguntó el que parecía ser el líder, un individuo de barba trenzada y sonrisa desdentada.

Ahriel se mostró desconcertada. Nadie le había pedido nunca nada a cambio de un poco de hospitalidad. Todos sabían que los ángeles luchaban por el bien y la justicia, y algunos supersticiosos pensaban que traían buena suerte. Allá donde iba, los hombres se sentían muy honrados de poder alojarla en su casa, y las mujeres le pedían que bendijese a sus bebés.

Estudió con más atención al grupo, y se dio cuenta de que parecían de todo menos honrados. Vestían ropas hechas jirones, llevaban los cabellos largos y desgreñados y, aunque exhibían armas toscas, todas de madera, sus ojos tenían un brillo siniestro, y sus sonrisas, un punto perverso.

—Quizá no me he explicado bien —dijo con más frialdad—. Os he pedido que me acojáis esta noche.

Avanzó para que la luz de la hoguera bañase su figura, pero lo hizo cojeando, y su entrada no fue demasiado triunfal. Sin embargo, apreció por el cambio en sus expresiones que ellos ya habían reparado en sus alas.

—Tal vez tú no nos hayas entendido —replicó uno de los hombres, sin dejar de mirarla con un brillo calculador en sus ojos—. Te hemos preguntado qué nos vas a dar a cambio.

—No tengo nada que daros. Por eso pido...

—Bien, que se acerque —interrumpió el líder.

—Pero, Yuba...

—No vamos a dejar a la pobre dama abandonada a su suerte bajo esta tormenta, ¿verdad? —replicó el llamado Yuba, con una siniestra sonrisa.

La mujer lanzó una carcajada despectiva, y Ahriel estuvo a punto de replicar que ella no era ninguna «pobre dama» y no estaba en absoluto «abandonada a su suerte», pero se mordió la lengua y avanzó hasta situarse junto al fuego. Fingió que no se daba cuenta de las miradas que aquellos individuos dirigían a sus alas, ahora sucias de barro.

—Parece que no te las arreglas bien aquí —comentó la mujer.

Ahriel le dirigió una breve mirada, pero no dijo nada.

—¿Siempre eres así de engreída?

—No soy engreída —dijo ella suavemente—. Soy un ángel. Soy como soy.

La mujer se rió otra vez. Pero entonces, Ahriel se enderezó como movida por un resorte.

Alguien había tocado sus alas.

Se volvió rápidamente y vio que dos de los tres hombres estaban tras ella. Sintió que Yuba y la mujer se levantaban también y se acercaban a ella. Ahriel respiró hondo. Había bajado la guardia porque estaba cansada y herida, y ahora la habían rodeado y empuñaban sus armas: garrotes, estacas y flechas.

—No te muevas —dijo uno de ellos entre dientes—. ¿Quién eres?

—Ya te lo he dicho —respondió ella—. Soy un ángel.

—Razón de más para que la matemos —gruñó otro.

—¿Estás loco? —replicó Yuba—. El Rey de la Ciénaga pagará muy bien por una criatura como ésta.

—Eso si no se escapa antes volando. Mira, tiene alas.

—Pero no puede moverlas —intervino otro—. ¿No lo ves?

El individuo agarró groseramente una de las alas de Ahriel, y ella lanzó un grito de advertencia. Pero el hombre no la soltó. El ángel se revolvió y, a la velocidad del relámpago, golpeó a su oponente, que salió despedido hacia atrás y cayó estrepitosamente sobre el suelo enfangado.

Los demás retrocedieron un poco, y Ahriel respiró hondo. Aquello era ridículo. Nunca antes la había puesto en apuros un grupo de humanos. Claro que nunca antes se había encontrado tan agotada, física y psicológicamente, ni había perdido la capacidad de volar. Por no hablar del tobillo fracturado.

Aun así, era ridículo.

—No sabéis a quién os enfrentáis —dijo, serena—. Por menos de esto podríais pasar el resto de vuestros días en Gorlian.

Aquellas palabras, lejos de intimidarlos, los enfurecieron, mucho más de lo que Ahriel habría esperado. Uno de ellos lanzó una piedra dirigida a la cabeza del ángel; ella la esquivó, pero la piedra la golpeó dolorosamente en el hombro, y la mujer aprovechó aquel instante para echarle una cuerda al cuello. Tiró de ella, y Ahriel se llevó las manos a la garganta, sintiendo que se asfixiaba. Trató de desasirse, pero la mujer no la soltó.

—Muy graciosa, angelita —dijo Yuba—. Pero que muy graciosa. Sé que la visita al Rey de la Ciénaga no va a resultarte agradable, pero, lo siento, no vas a conseguir que te matemos para librarte de ella.

Ahriel no lo estaba escuchando. Uno de sus captores la había agarrado por el ala izquierda. Nadie se había atrevido nunca a...

Pero entonces recordó al hombre que le había puesto el cepo y se estremeció.

Y decidió que ya la habían humillado bastante.

Hizo acopio de fuerzas y, con un brusco movimiento que ellos no esperaban, lanzó una patada a las manos de la mujer, que soltó la cuerda con un gemido de dolor. Ahriel se volvió entonces hacia Yuba, que había retrocedido un tanto y blandía un garrote amenazadoramente. Haciendo caso omiso del dolor, Ahriel golpeó el brazo de su oponente y el garrote salió volando por los aires.

Los cuatro la miraron, con un nuevo respeto en la mirada.

—He decidido que no me interesa vuestra hospitalidad —dijo ella con frialdad.

Y lentamente, cojeando, salió de nuevo bajo la lluvia.

No se volvió para ver qué hacían los tres hombres y la mujer. Se había ganado su odio de por vida, pero también sabía que no se atreverían a volver a atacarla abiertamente. Aunque tratarían de clavarle un puñal en la espalda cuando durmiera.

Aún oyó, entre el fragor de la lluvia, la voz de la mujer:

—¡Nunca saldrás de aquí! ¿Me oyes? ¡Nunca! ¡Y cuando este lugar haya acabado contigo no te mostrarás tan arrogante!

Ahriel no la escuchó.

Siguió caminando, ignorando el dolor de su tobillo y de su hombro y aguardando, simplemente, que remitiese la tormenta o que llegase la mañana; mientras tanto escudriñaba las sombras a su alrededor,

buscando un lugar resguardado donde poder descansar y recuperar fuerzas. Si se sumía en un sueño cura-
tivo, cuando despertase sus heridas habrían sanado,
pero ello suponía dormir tan profundamente que
podría despertar en el estómago de un gusano gigante sin haberlo oído llegar.

De modo que Ahriel siguió adelante, esperando
llegar a algún lugar que le ofreciese un mínimo de
confianza. Anduvo largas horas bajo la lluvia, trepó
por agudos riscos, se arrastró montaña arriba y se
deslizó montaña abajo. Cuando el cansancio, el frío,
el hambre, la sed y el dolor se hicieron insoportables,
Ahriel se derrumbó sobre un charco de barro, y allí se
quedó.

Sus últimos pensamientos, antes de perder el sentido, fueron para Marla.

IV

hriel despertó en un lugar caliente y seco. Por un momento creyó que había sido víctima de uno de aquellos malos sueños que acosaban a los humanos por las noches. Pero el dolor que le producía el cepo que atenazaba sus alas le recordó que aquello era real, muy real.

Por fortuna, Ahriel estaba bien entrenada y, pese a que se sentía completamente despejada, todavía no había abierto los ojos ni había hecho el menor movimiento. Podía intuir la presencia de otra persona en la habitación, y quería que ésta creyese que seguía profundamente dormida.

Puso a trabajar el resto de sus sentidos para averiguar más sobre la situación en la que se encontraba.

Estaba tendida en un catre duro, y cubría su cuerpo una manta áspera y delgada, que parecía hecha de algún tipo de piel. Aguzó el oído y analizó mentalmente los sonidos que llegaban hasta ella. Los pasos, rápidos, seguros y enérgicos, pertenecían sin duda a un hombre, aunque no muy corpulento. Pero aquellos pasos eran irregulares, y Ahriel dedujo que no tenía mucho espacio para moverse y, seguramente, estaba sorteando obstáculos. Un sonido sordo y una maldición mascullada por lo bajo vinieron a confirmar su teoría: era un hombre, un joven, y acababa de tropezar con algo.

Siguió analizando los sonidos. Captó el crepitar de un fuego, el ruido de la lluvia golpeando sobre el tejado, un par de goteras un poco más allá... Oyó entonces que el joven echaba algo en un puchero de barro, y el olor del guiso llegó hasta ella con claridad. No supo identificar de qué estaba compuesto, pero sí captó un ligero olor a limo que quizá se debiera al tipo de agua utilizada.

Ahriel sopesó sus alternativas. En caso de que tuviera que luchar, desde luego su contrincante no parecía muy difícil de vencer. Ignoraba si estaba armado, pero no había oído el sonido que producía una espada al golpear contra el muslo de un hombre en movimiento. Sin embargo, el joven podía llevar una daga. Por su forma de moverse, Ahriel había deducido que era muy ágil y rápido. Y había que contar con el hecho de que, en aquella habitación tan pequeña, él se movería con más facilidad que ella, que tenía que contar con el peso muerto de sus alas a la espalda.

Se preguntó entonces si aquella estancia sería parte de una vivienda más grande, y si habría más gente en ella. Esperó un rato, pero no oyó entrar a nadie más. El joven retiró el caldero del fuego y sirvió el guiso en un cuenco. Mientras comía, Ahriel aprovechó para abrir un poco los ojos y espiar a través de sus párpados entrecerrados. Descubrió que se hallaba en una chabola fabricada a base de restos y desechos, y que la minúscula habitación estaba llena de objetos diversos de madera y arcilla. Pero, sobre todo, se fijó en el joven que comía sentado en el suelo con las piernas cruzadas.

Presentaba el mismo aspecto que las personas que la habían atacado en la cueva: andrajoso, greñudo y desaliñado. Sin embargo, y como Ahriel había adivinado, no era corpulento. Más bien parecía un saco de huesos, y aquella delgadez suya le hacía parecer más alto de lo que era.

Ahriel se fijó también en sus facciones, parcialmente ocultas por una barba revuelta. Apreció que su rostro alargado le confería una cierta expresión zorruna.

El ángel siguió observándolo hasta que terminó de comer y depositó el cuenco en un rincón. Lo vio levantarse, estirarse como un gato y avanzar despreocupadamente hacia ella. Cerró los ojos cuando lo sintió acercarse, pero el joven se limitó a coger algo que estaba cerca del catre. Ahriel lo oyó dar la vuelta y alejarse de nuevo hacia el fuego.

Entreabrió los ojos otra vez...

...Y su mirada tropezó con la de otros ojos, oscuros e inquisitivos, que la observaban con curiosidad.

McHenry Public Library District
809 N. Front Street
McHenry, IL. 60050

—Buenos días —dijo el humano.

Ahriel se incorporó a la velocidad del rayo, lo apartó de un empujón y se colocó en posición defensiva. El joven la había sorprendido, y eso quería decir que era más sigiloso, rápido y observador que la mayoría de los humanos con los que había tenido ocasión de tratar.

—¿Quién eres? —exigió saber Ahriel.

El joven esbozó una mueca burlona.

—La persona que te ha salvado cuando estabas tirada ahí fuera, completamente empapada, herida y muerta de frío. ¿No te basta con eso?

—En ciertas circunstancias, no —replicó el ángel fríamente—. ¿Quién eres?

El rostro del humano se endureció.

—Bien. Me llamo Bran. Estás en mi casa, y soy yo quien hace las preguntas. ¿Quién eres tú?

—No estoy en tu casa por propia voluntad —puntualizó ella.

Bran se encogió de hombros.

—Muy bien. Puedes marcharte si te apetece, no te lo voy a impedir. Pero creo que Tora y los suyos han salido de caza esta noche, y el Loco Mac todavía anda suelto. Además, el Carnicero ha ampliado su territorio hacia el norte, y eso lo acerca aquí más de lo que a mí me gustaría. Por no hablar del hecho de que el Rey de la Ciénaga ya se habrá enterado de tu llegada, y estoy convencido de que tendrá mucho interés en conocerte. ¡Ah! Y, por cierto, sigue lloviendo. A cántaros.

Ahriel se relajó sólo un poco.

—¿Pretendes hacerme creer que estoy segura en este lugar?

—Ningún lugar es del todo seguro aquí. Pero sí, es más seguro que andar a la intemperie.

Ahriel no dijo nada. Seguía observando fijamente al humano, tratando de decidir si era de fiar.

—Supongo que te estarás preguntando por qué te he salvado la vida —añadió él—. Ya debes de haberte dado cuenta de que aquí nadie da nada a cambio de nada. Y yo no soy diferente. Así que, si por un momento has pensado que te he ayudado por compasión, por bondad o lo que sea… olvídalo, ¿vale? No quiero que tengas una idea equivocada de mí.

—No la tengo. ¿Qué pretendes, pues? ¿Por qué me has ayudado?

Bran se encogió de hombros otra vez.

—Por curiosidad. Sí, ya sé que la curiosidad no es sana, sobre todo en un lugar como éste. Y la verdad, no he sobrevivido tanto tiempo metiéndome donde no me llaman. De hecho, cuando te vi ahí tirada estuve a punto de dar media vuelta, pero entonces vi tus alas, y bueno, me llamaron la atención, así que…

—¿Dónde estoy? —cortó el ángel.

—En el Sector Norte. Al noroeste de la Cordillera y no lejos de la Ciénaga.

—¿Qué cordillera? ¿Qué ciénaga?

—La Cordillera —respondió el humano, perdiendo la paciencia—. La Ciénaga. Sólo hay una Cordillera y una Ciénaga, y no vas a ver ninguna otra en lo que te queda de vida, así que ve haciéndote a la idea.

—¿Qué te hace pensar que voy a quedarme aquí para siempre?

—El hecho de que, como todo el mundo sabe, nadie ha escapado jamás de la prisión de Gorlian.

El nombre cayó sobre Ahriel como una maza. Se volvió hacia su interlocutor y lo miró con fijeza.

—¿Qué has dicho? —preguntó, a pesar de que lo había oído perfectamente.

—He dicho «Gorlian». ¿Qué pasa? ¿No sabías a dónde habías ido a parar?

Ahriel no respondió. Se hallaba sumida en un frenético torbellino de pensamientos que se esforzaba por controlar.

Gorlian.

En sus últimos años de servicio en Karish, Ahriel había enviado allí a muchos criminales, pero nunca había acudido personalmente a la prisión. Ella se limitaba a encerrarlos en las mazmorras del palacio y al día siguiente ya no estaban. Ahriel sabía que había una serie de guardianes que se encargaban de llevarse a los condenados, pero no los había visto muy a menudo, y nunca había hablado con ellos; aquello siempre había sido trabajo de Kab. Lo cierto era que ella no tenía la menor idea de dónde estaba situado el correccional de Gorlian.

Pero no tenía sentido. Si se encontraba en Gorlian, ¿dónde estaban las celdas, los barrotes? ¿Dónde se encontraba el edificio principal? ¿Por qué los criminales andaban libres?

Volvió a mirar a Bran.

—Mientes —le dijo—. Gorlian es una prisión, no una tierra yerma.

El joven rió con sarcasmo.

—Y, naturalmente, tú lo conoces como la palma de tu mano.

Ahriel no respondió.

—Este lugar maldito *es* una prisión —prosiguió el humano—. Y *sí* se trata de una tierra yerma: un desierto árido y muerto en el sur y una pestilente ciénaga en el norte. Ambos están divididos por la Cordillera, un amasijo de rocas afiladas y traicioneras. Aquí no crece prácticamente nada, y está plagado de lo que llamamos, a falta de otro nombre mejor, bestias o engendros: criaturas monstruosas, llenas de odio e instintos asesinos. Nadie sabe de dónde han salido esos seres, quién los creó ni cómo han aparecido aquí, pero el Desierto, la Ciénaga y la Cordillera están repletos de ellos. Nuestra relación con ellos es simple: o nos los comemos, o se nos comen.

Ahriel evocó su encuentro con el gusano de la caverna y reprimió un estremecimiento.

—Vivimos como salvajes —concluyó Bran—. Somos los desechos de la sociedad, y ya nadie se acuerda de nosotros. Ahora ya no podemos robar, matar ni estafar a la gente decente: nos robamos, matamos y estafamos entre nosotros. En nuestra lucha por la supervivencia aprendemos a no confiar en nadie. Las alianzas son breves y acaban por ser traicionadas en favor del provecho propio. Al final, sólo sobreviven los más fuertes y los más listos, y no por mucho tiempo. Aunque eso no importa: siempre llegan a Gorlian nuevos ocupantes... como tú.

Ahriel se separó de él con presteza.

—Yo no debería estar aquí —dijo—. La reina Marla...

—No pronuncies ese nombre aquí —advirtió Bran—. No lo hagas, a menos que sea para maldecirlo. Ella fue quien creó esta prisión.

—Para castigar a los criminales.

Los ojos del humano brillaron peligrosamente, y asomó a su rostro una torcida sonrisa.

—¿De veras? ¿Tienes idea de cuánta gente inocente ha terminado sus días aquí? ¿No? Cualquiera que ose interponerse en el camino de la reina Marla se encontrará en Gorlian antes de que se dé cuenta...

Ahriel no pudo evitar acordarse de Kendal. Se preguntó cuánto tiempo habría durado el joven bardo en aquel lugar.

Se levantó, decidida, y se encaminó a la puerta.

—¿A dónde vas?

—Voy a salir de aquí.

—Estás loca. No se puede salir de aquí —hizo una pausa y echó un vistazo a las alas de Ahriel—. Aunque tal vez volando...

—Ya no puedo volar —replicó ella secamente—, pero saldré de aquí. Guíame hasta los vigilantes de la prisión.

—No hay vigilantes. Nadie cuida de este lugar. ¿No me has escuchado? Nos arrojan aquí y luego nos olvidan. Pero no se puede escapar. Los límites de Gorlian... no pueden traspasarse. Muchos lo han intentado antes que tú. Ninguno de ellos lo ha logrado.

—Ellos eran humanos —replicó ella suavemente.

—Ya he visto que tú no lo eres. Pero ¿qué te hace pensar que eres mejor que nosotros? Te he rescatado ahí fuera. Y soy un humano.

—Estaba herida —replicó Ahriel—. Ya no lo estoy. ¿Pueden hacer eso los humanos?

El joven abrió la boca para contestar, pero clavó su mirada en ella y descubrió que todas sus heridas habían curado espontáneamente. La observó de pies a cabeza mientras ella recorría la estancia con la mirada, buscando ropa de abrigo y algún arma que pudiera servirle.

—Ya sé qué eres —dijo finalmente—. Eres un ángel.

Ahriel no vio la necesidad de responder.

—Y sólo he oído hablar de uno —prosiguió Bran—: el ángel guardián de la reina Marla. Eres tú, ¿verdad?

Ahriel se volvió hacia él, señalando unas pieles que colgaban de un saliente de la pared.

—Voy a necesitar algo de abrigo. ¿Dónde puedo conseguir una piel así?

Bran se rió con sarcasmo.

—Caza a un engendro y despelléjalo, y tendrás un flamante abrigo de pieles para ti sola.

—¿Piel de engendro? —Ahriel se apartó con repugnancia y miró a Bran. Al ver que él hablaba en serio, sacudió la cabeza, disgustada, y salió de la chabola sin una palabra. El humano soltó una maldición entre dientes y salió tras ella.

Fuera, la lluvia había amainado, pero el paisaje seguía siendo igual de desolador. Ahriel avanzó, decidida. Le costaba creer que Marla tuviese conocimiento del horrible lugar al que enviaba a sus criminales. Sin duda algunos de ellos merecían tal suerte, pero, como había dicho Bran, otros...

Ahriel suspiró para sus adentros. Eran aquellos hombres oscuros, como el individuo que le había colocado el cepo en las alas; ya fuesen hechiceros, monjes tenebrosos o adoradores de las sombras, sin duda ejercían una mala influencia sobre su protegida. Y ella, Ahriel, no había sabido verlo a tiempo, pero todavía podía enmendar su error. Tan sólo debía salir de allí, regresar a Karishia, sanear el reino y devolver a Marla a la senda del bien. Tan sólo...

—Si eres realmente el ángel de la reina Marla, no serás bien recibida aquí —dijo la voz del humano tras ella.

Ahriel no contestó.

—Tu reina ha arruinado la vida de todos los hombres y mujeres de Gorlian —insistió el joven—. Todos querrán verte muerta.

—No voy a quedarme aquí mucho tiempo.

Su interlocutor se encogió de hombros.

—Como quieras. Puedo llevarte a los límites de Gorlian para que lo veas por ti misma.

Ahriel se volvió hacia él.

—¿Y qué me pides a cambio?

Bran sonrió.

—Vas aprendiendo —comentó—. Te lo explicaré: como has podido observar, no soy muy corpulento. Y, sin embargo, llevo ya mucho tiempo aquí. He logrado sobrevivir gracias a mi astucia, y al hecho de que hasta ahora he ido por libre, pero me las he arreglado para que todo el mundo me conozca. Aunque lo cierto es que yo los conozco a todos mejor de lo que ellos se piensan —sonrió—. Me valgo de ello para seguir tirando.

—Ve al grano —dijo Ahriel—. Hablas demasiado.

—Las noticias corren rápido en Gorlian —prosiguió él—. Ya sé que diste una paliza a los chicos de Yuba. Una contra cuatro y saliste ganando. Eso significa, ángel, que tienes problemas. Yuba querrá vengarse, y por otro lado el Rey de la Ciénaga estará interesado en tenerte controlada. Puede que seas buena, pero no durarás aquí si los tienes a todos contra ti. Lo que te propongo es lo siguiente: yo te enseño a sobrevivir en Gorlian y te llevo hasta los límites de la prisión. Si encuentras una manera de escapar, me llevarás contigo. Si no... digamos, simplemente, que me deberás un favor.

—¿Te basta con eso? ¿Cómo sabes que cumpliré mi parte del trato?

—Sé pocas cosas de los ángeles, pero sí sé que tenéis un alto sentido del honor y del deber —sonrió de nuevo—. Si es cierto todo lo que dicen de vosotros, no me extraña que Marla se haya deshecho de ti. Lo que no me explico es por qué hemos tardado tanto en verte por aquí.

Ahriel ignoró el comentario.

—De modo que, si no logro salir de aquí, te deberé un favor. ¿Qué entiendes por eso?

—Es mi manera de sobrevivir. Siempre sé lo que necesita la gente y dónde conseguirlo. Casi todos aquí están en deuda conmigo.

—Pero ellos no te devolverán el favor...

El humano movió la cabeza.

—Algunos me consideran imprescindible según para qué cosas. No sólo sé lo que necesita la gente, sino también... y esto es lo más importante... secretos que no estarían dispuestos a contar: puntos vulnerables, planes, estrategias, escondrijos... Utilizo la información en mi favor. Regateo. Hago tratos...

—Estafas y extorsionas —comprendió ella, mirándolo asqueada.

Nuevamente, Bran se encogió de hombros.

—Si tienes un mínimo sentido del honor, no necesitaré estafarte a ti también. Creo que lo que te he propuesto suena razonable. ¿Qué dices?

Ahriel meditó. Sentía que se rebajaría si aceptaba colaborar con un embaucador como aquél, pero tuvo que reconocer que se hallaba en un mundo extraño y debía sobrevivir en él... para regresar junto a Marla.

Se volvió hacia el humano y le tendió la mano.

—Acepto.

Él sonrió, y se la estrechó.

—No te arrepentirás. A propósito... todavía no conozco tu nombre.

—Me llamo Ahriel.

V

sto es ridículo —declaró Ahriel, irritada—. No pienso inclinarme ante alguien que se hace llamar «el Rey de la Ciénaga».

Bran suspiró, con infinita paciencia.

Llevaban un par de días viajando hacia el norte a través del pantano. El ángel había seguido dócilmente al humano por lodazales pestilentes sin una sola protesta, y no había cuestionado sus decisiones en cuanto a la ruta a seguir. Cuando les había salido al paso algún engendro especialmente violento, Ahriel había despejado el camino con rapidez y eficacia. Para ser un ángel de delicadas alas blancas, no se las arreglaba mal en la Ciénaga. Había reconvertido su maltratada túnica en unos pantalones que le llegaban por encima de la rodilla, y avanzaba con decisión, ignorando deliberadamente el hecho de que arrastraba sus alas por el lodo maloliente. Interiormente, Bran aplaudía su coraje.

Pero había un punto en el cual él y Ahriel no estaban de acuerdo.

Desde el primer día, el ángel había notado que alguien vigilaba sus pasos. No era difícil detectarlos, puesto que no parecían muy preocupados por esconderse, aunque nunca daban la cara: en ocasiones era un susurro entre los matorrales, un poco más allá; a veces, una huella que nadie se había preocupado por disimular; y, de vez en cuando, incluso se podía apreciar una figura lejana que los observaba desde lo alto de un promontorio.

—Es la gente del Rey de la Ciénaga —explicó Bran cuando Ahriel le llamó la atención al respecto—. Estamos en su territorio. Pero no te preocupes, no nos atacarán... Me conocen. Esperarán a ver qué hacemos.

—¿Nos dejarán cruzar la Ciénaga?

—Nos dejarán llegar hasta el rey. Todo el que quiera atravesar sus dominios debe pedirle permiso primero.

A Ahriel aquello le había parecido bastante razonable; aunque no la seducía lo más mínimo tratar con el líder de un hatajo de criminales, reconocía que, en aquel lugar, ella era la recién llegada.

Pero, cuando Bran especificó en qué consistía aquello de «pedir permiso», Ahriel se rebeló.

—Yo sólo sirvo a mis superiores y a mi protegida —declaró.

—Piensa un poco —replicó Bran, molesto—. Él es quien controla el cotarro aquí. Lo mejor que puede hacer cualquiera que llegue nuevo a Gorlian es presentarle sus respetos de inmediato y jurarle fidelidad.

—¿Qué puede saber un criminal sobre juramentos de fidelidad? —dijo Ahriel, desdeñosa.

Bran sonrió inquietantemente.

—Sólo es una manera de controlar a la gente que llega. Créeme, resulta más beneficioso para todos. Como prueba de buena voluntad, el recién llegado se presenta ante el rey y le jura fidelidad. De este modo se convierte en uno de los suyos y tiene la seguridad de que, siempre que no cree problemas, la gente del Rey de la Ciénaga no se meterá con él. Por otro lado, el rey conoce así a todos los habitantes de la Ciénaga, y puede manejarlos mejor. La ley es simple: si no obedeces al Rey de la Ciénaga, estás contra él. Y, si estás contra él, eres una amenaza que debe ser eliminada.

—Es repugnante —opinó Ahriel.

Bran sonrió de nuevo.

—¿De veras? Yo creía que en Karish todos obedecen a la reina Marla, y quien no lo hace es considerado una amenaza y...

El humano no concluyó la frase, pero se pasó un dedo por el cuello en un gesto significativo. Ahriel no se molestó en responder.

—Hay otras alternativas a la Ciénaga —comentó Bran—. Están el Desierto y la Cordillera, y hay gente que sobrevive allí como puede... pero todos en Gorlian prefieren, sin dudarlo, este lodazal infecto. ¿Y sabes por qué?

Ahriel no respondió. Parecía concentrada en tantear el terreno que se extendía ante ella. Bran le había dicho que en la Ciénaga había zonas traicioneras que podían tragarse a un hombre en un abrir y cerrar de ojos. Hasta el momento no habían topado con ninguna de ellas, porque Bran conocía bien el terreno, pero Ahriel prefería no arriesgarse.

—Porque —prosiguió Bran— éste es el único lugar de Gorlian donde crece algo. En el Desierto sólo hay algunas plantas espinosas, y en la Cordillera, ni eso. Las criaturas que viven aquí son viscosas y saben a barro, pero al menos es comida. Y con la madera de los árboles del fango podemos fabricar algunas lanzas rudimentarias. He oído decir que los habitantes del Desierto se enfrentan a los engendros con piedras afiladas.

Ahriel asintió, pensativa. Había echado de menos su espada, pero pronto había aprendido que era un lujo poder contar con el palo puntiagudo que Bran le había proporcionado.

Siguieron adelante durante tres jornadas más. Bran conocía bien la Ciénaga, y sabía moverse por ella. Gracias a ello, siempre encontraban un lugar firme y seco donde descansar cuando llegaba la noche. También era especialmente diestro en cazar las pequeñas criaturas que se movían por el fango: peces, anfibios, crustáceos... no había mucha variedad, y Bran declaró, con resignación, que todos, sin excepción, sabían a fango. Pese a ello, el humano se los comía, incluso crudos, cuando la humedad ambiental no permitía encender un fuego. Ahriel lo contempló con repugnancia la primera vez.

—Deberías comer algo —opinó Bran con la boca llena—. ¿O es que los ángeles se alimentan del aire? Aunque, si es así —añadió con una sonrisa socarrona—, seguro que ya has notado que incluso el aire sabe a barro.

Ahriel no respondió. Era cierto que no había probado bocado desde su llegada a Gorlian, pero se sentía completamente incapaz de comerse ninguno de aquellos animalillos fangosos, y mucho menos alimentarse de carne de lo que Bran había llamado «engendros». Ahriel tenía una sospecha con respecto a aquellos engendros, pero no pensaba quedarse el tiempo suficiente como para comprobarla.

Al quinto día comenzó a llover, y ya no paró.

Ahriel y Bran siguieron avanzando hacia el norte, sin permitir que aquello los detuviera, aunque el terreno se había vuelto impracticable. Llegaron a estar con el fango hasta el pecho, y Bran estuvo a punto de perder el camino más de una vez. Se acabaron los lugares firmes; cuando caía la noche no tenían más remedio que trepar a las ramas de alguno de los árboles del fango, retorcidos y nudosos, de madera negra y resbaladiza.

Ahriel luchó a brazo partido contra la Ciénaga. Se sentía cada vez más débil y le costaba respirar. El lodo la atrapaba, la retenía y trataba de ahogarla a cada paso que daba. La lluvia fangosa caía sobre ella sin piedad. Su túnica estaba hecha jirones; cada centímetro de su piel estaba cubierto por una capa de barro, y sus alas sucias eran apenas dos tristes guiñapos enfangados que colgaban de su espalda.

Cuando un grupo de figuras les cerró el paso bajo la lluvia torrencial, Ahriel casi se alegró.

—Habéis llegado a la morada del Rey de la Ciénaga —dijo uno de ellos con voz inexpresiva.

—Vaya, ya era hora —dijo Ahriel, pero calló enseguida; aquellos comentarios no eran propios de ella. Frunció levemente el ceño: había pasado demasiado tiempo con aquel humano.

Siguieron a los desconocidos a través de la Ciénaga, hasta una montaña de roca que se alzaba no lejos de allí. Ahriel comprendió inmediatamente por qué vivía allí el Rey de la Ciénaga; en aquella tierra traicionera, un pedazo de suelo firme era todo un lujo. Y, cuando se acercaron, Ahriel vio otra cosa más: una abertura que se abría en la montaña. Parecía lo bastante grande como para establecer un refugio en ella, y estaba lo bastante alta como para que el fango no la alcanzase, y lo bastante accesible como para que se pudiese subir con relativa facilidad.

Cuando Ahriel trepó hasta las primeras rocas, sus pies entumecidos agradecieron pisar terreno firme por fin. Hacía días que la Ciénaga se había tragado sus botas, y el ángel contempló por un momento sus pies descalzos, cubiertos de barro, prácticamente insensibles.

Pese a ello, se las arregló para subir hasta la caverna, y siguió a los demás a través de un túnel, al final del cual se adivinaba una luz. Ahriel avanzó junto a Bran, sorprendida de que el túnel fuese tan profundo. Pero lo que halló al otro lado la desconcertó todavía más.

El túnel desembocaba en una enorme caverna iluminada con antorchas colgadas de las paredes. Aquel lugar estaba lleno de gente que hablaba, reía, comía o, simplemente, se divertía. Había mujeres que se contoneaban tratando de tentar a los hombres más musculosos, jóvenes que tomaban parte en un extraño juego de mesa con piedras y un grupo de gente reunido en torno a un bufón que los entretenía con bromas de mal gusto que eran acogidas con risotadas.

—Así empecé yo en este lugar —dijo Bran tristemente, moviendo la cabeza hacia el bufón—. Patético, ¿verdad?

Ahriel no respondió. Tratando de ignorar el olor que emanaba de aquellas gentes del barro, recorrió la sala con la mirada, buscando armas y al Rey de la Ciénaga. Con respecto a lo primero, sólo vio lo que Bran había dicho: estacas, arcos y flechas... todo hecho con la oscura madera del árbol del fango. Algunos portaban también piedras afiladas e incluso hondas, pero Ahriel no vio nada de metal.

Y en cuanto a lo segundo, aunque era evidente que aquello parecía una corte —burda y primitiva, pero una corte, al fin y al cabo—, al rey no se lo veía por ninguna parte.

Su mirada se detuvo en un túnel lateral que salía de la sala y estaba custodiado por dos guardias. Como había sospechado, fueron conducidos directamente hacia allí.

Ahriel y Bran atravesaron la sala. Nadie pareció fijarse mucho en ellos, pero algunos hombres miraron a Ahriel de arriba a abajo con una sonrisa en los labios. El ángel trató de mantenerse imperturbable, pero sabía que su túnica desgarrada enseñaba más de lo que ella quería mostrar. Por otro lado, sus alas, cubiertas de barro, colgaban lacias a su espalda, y parecían más una capa sucia que una parte de su cuerpo. Con aquel terrible aspecto, se dijo Ahriel desalentada, no era extraño que la hubiesen confundido con una mujer humana cualquiera. Se preguntó qué sería mejor, dadas las circunstancias: si pasar inadvertida o hacer gala de toda su fuerza y resplandor angélico. Pero enseguida recordó la pelea contra Yuba y los otros en la cueva, y comprendió que en Gorlian nadie sentiría el más mínimo respeto por un ángel; y, como había dicho Bran, mencionar el nombre de Marla sólo empeoraría las cosas.

Los guardias se retiraron un poco para dejarlos pasar, y la comitiva entró en el túnel. Éste acababa, unos metros más allá, en otra sala oscura, sólo iluminada por una antorcha colocada junto a la puerta, mientras el fondo permanecía en sombras. Ahriel comprendió enseguida por qué: desde allí se distinguía una sombra confusa sentada en un tosco trono de madera, pero nada más: el Rey de la Ciénaga podía observar a placer a sus visitantes sin que éstos lo vieran a él.

El ángel clavó su mirada en la persona que se sentaba en el trono. Incluso con algo más de luz no habría sido fácil distinguirla, porque cubría su cuerpo con una capa de pieles, y una holgada capucha dejaba su rostro en sombras.

Bran se echó de bruces ante la figura del trono.

—Os saludo, Rey de la Ciénaga, y presento mis respetos.

—Bran —dijo el Rey de la Ciénaga; su voz sonaba profunda y gutural, casi como un gorgoteo—. ¿Qué has hecho esta vez, sabandija?

—Pido permiso para atravesar vuestros dominios junto con mi... hum... compañera.

—¿Te refieres a esta mujer que no se inclina ante mí?

Ahriel captó un tono amenazador en su voz y sintió que él la observaba, pero se limitó a devolverle la mirada.

—Es una recién llegada, señor. Todavía no conoce...

—Me sorprende que alguien como tú, con una lengua tan larga, haya olvidado mencionarle las normas de la Ciénaga.

—Lo cierto es que sí, se las mencioné, pero ella... se encuentra todavía traumatizada y... bueno, ya se sabe cómo son estas cosas: la dama inocente que es condenada a un terrible destino en Gorlian... ella todavía no sabe algunas cosas que para todos nosotros son...

—Ve al grano, sabandija. ¿Qué quieres, y qué ofreces a cambio?

—Señor, la dama afirma que puede escapar de Gorlian.

Todos en la sala se rieron a carcajadas. Ahriel no cambió la expresión de su rostro. Bran esperó a que el Rey de la Ciénaga le concediera de nuevo su atención, y entonces prosiguió:

—Me propongo acompañarla hasta los límites de la prisión, para que lo vea con sus propios ojos. Por ello solicito paso franco por...

—Eso ya lo has dicho. ¿Qué ofreces a cambio?

—La ofrezco a ella, señor.

Esta vez sí, Ahriel reaccionó. Cuando se recuperó del desconcierto inicial, taladró a Bran con la mirada y tensó los músculos, dispuesta a luchar por su vida y su libertad. Pensó que no debería haber confiado en Bran, pero ya era tarde para lamentarlo.

Él pareció sentir su cólera, porque le dirigió una mirada tranquilizadora.

—Cuando hayamos regresado de nuestro viaje —concluyó—, la dama se dará cuenta de que es inútil tratar de escapar, y yo mismo me encargaré de que os rinda pleitesía.

—¿Por qué retrasarlo? Que lo haga ahora; de lo contrario, morirá.

—Todavía no está dispuesta a hacerlo, señor, pero lo hará cuando se dé cuenta de que todo intento de fuga es imposible. Y sería una lástima que perdieseis a una luchadora tan buena como ella. Os garantizo que, si nos permitís proseguir nuestro viaje, no os arrepentiréis.

Ahriel se relajó sólo un poco, y tuvo que admitir, a regañadientes, que Bran era muy hábil. Si el Rey de la Ciénaga aceptaba el trato, ellos tendrían vía libre para llegar hasta los límites de Gorlian, y todo ello sin necesidad de que Ahriel tuviese que inclinarse ante aquel misterioso individuo.

—¿Buena luchadora? —repitió el Rey de la Ciénaga.

—Ella puso en apuros a Yuba y su grupo la semana pasada.

—¡Ah! —la voz gutural pareció de pronto más interesada, y Ahriel percibió que la figura del trono la contemplaba con más atención—. ¿De veras?

—Sin armas de ninguna clase —reiteró Bran—. Al fin y al cabo, es una recién llegada.

—Gia —dijo el Rey de la Ciénaga tras una pausa; una mujer se inclinó brevemente ante él—, lleva a nuestra invitada a tomar un baño. Y proporciónale ropas nuevas.

—¿Un baño? —protestó Gia—. Pero, señor…

—Ahora.

El Rey de la Ciénaga no alzó la voz, pero había en ella un cierto tono peligroso, y la mujer llamada Gia palideció y se inclinó de nuevo ante él.

Ahriel la siguió por otro largo pasadizo hasta una cueva un poco más apartada, cuya entrada estaba cubierta por una gruesa piel que colgaba sobre ella a modo de cortina. Allí había un tonel de agua pardusca.

—Báñate —dijo Gia con brusquedad—. Volveré dentro de un momento con la ropa.

Ahriel se quedó sola. Miró el agua. En Karish jamás se le habría ocurrido beber de un líquido como aquél, pero el agua que traía Bran en sus odres no era muy abundante, y tampoco era mucho más clara que aquella. Ahriel suspiró. Antes de meterse en el agua, bebió dos o tres largos sorbos. Descubrió que ya no torcía el gesto instintivamente ante el sabor del barro. Se dijo a sí misma, estremeciéndose, que si continuaba allí mucho tiempo más acabaría por comer ranas crudas, como hacía Bran.

Echó un breve vistazo a la piel de la entrada, que no se había movido. Ahriel no confiaba en el Rey de la Ciénaga, y sabía que aquél no era el mejor lugar para tomar un baño, pero la tentación era demasiado fuerte: se quitó los restos de su túnica y se metió en el agua.

Estaba fría. El ángel apretó los dientes y procedió a quitarse el barro de la piel, las alas y el cabello, con la ayuda de los jirones de su túnica. Cuando terminó, el agua se parecía mucho a los lodazales por los que se había arrastrado en la Ciénaga.

Gia regresó y dejó unas pieles sobre el suelo. Después volvió a marcharse, no sin antes lanzar una mirada desaprobadora al agua echada a perder.

Ahriel salió del baño y se restregó una vez más con la túnica. Después, con un suspiro, probó a ponerse la ropa de pieles.

Tardó un poco en ajustársela en torno a su cuerpo, y tuvo que rasgarla para poder sacar las alas a través de ella. Enseguida sintió el extraño impulso de arrancarse aquella ropa de un tirón. Se reprimió a duras penas. ¿Qué le estaba pasando? Trató de pensar y analizar aquella sensación irracional. Sabía que sus nuevos atavíos estaban hechos con la piel de algún tipo de engendro, y aquello la repugnaba, pero no hasta aquel punto. Se dio cuenta entonces de que aquella ropa le producía sobre la piel un efecto semejante al del cepo que aprisionaba sus alas, aunque mucho más atenuado. Frunció el ceño. ¿Cuál era la relación entre ambos hechos? ¿Magia negra? ¿Habrían hechizado la ropa aquellas personas? Descartó la idea; de momento, nada de lo que había visto en aquel lugar tenía poder para hacer tal cosa. Tal vez la clave estuviese en los mismos engendros...

Ahriel decidió que lo investigaría; de momento, no tenía más remedio que vestirse con aquellas prendas, pero confiaba en que se las arreglaría para sustituirlas por otras más adelante.

Salió de la cueva y halló a Gia esperándola en la entrada. La mujer la miró con cierta antipatía y la condujo de nuevo ante el Rey de la Ciénaga.

Bran seguía allí. Ahriel sintió la mirada del rey desde las sombras.

—De modo que esto era lo que se ocultaba bajo el barro —dijo el rey—. Un ángel.

Hubo murmullos de desconcierto entre Gia y los dos hombres que guardaban la entrada. Ahriel comprendió entonces que el Rey de la Ciénaga no le había ofrecido un baño por pura hospitalidad. Incluso ahora seguía sintiéndose sucia, y sus alas habían adoptado el leve color pardusco del agua, pero ya eran claramente visibles.

—¡El ángel de la reina Marla! —susurró Gia, llena de odio.

Ahriel vio que Bran titubeaba.

—¿Es eso cierto? —preguntó el Rey de la Ciénaga—. ¿Eres el ángel de la reina Marla?

—Lo era —dijo Bran, antes de que Ahriel pudiese contestar—. Pero Ahriel se rebeló contra ella, y la reina la castigó. Le ha inmovilizado las alas, y no puede volar. Ahora es una de los nuestros.

—Ella nunca será uno de los nuestros —dijo Gia con desprecio.

—Eso lo decidiré yo —replicó el Rey de la Ciénaga—. He oído hablar de ti, Ahriel. Muchos de los míos están aquí por tu causa. Pero, si fueron tan estúpidos como para dejarse coger, es su problema, no el mío. Muy bien, podéis atravesar la Ciénaga. Pero no os olvidéis de pasar a visitarme cuando regreséis.

—No vamos a regresar —dijo Ahriel a media voz.

El Rey de la Ciénaga rió por lo bajo.

—Oh, lo haréis. Estoy seguro de que lo haréis.

VI

Tardaron varios días más en alcanzar los límites de Gorlian. Ahriel había estado dispuesta a aguantar sin comer todo aquel tiempo, pero una tarde su vista se nubló y estuvo a punto de resbalar cuando pasaban junto a una charca especialmente traicionera. Logró mantenerse en pie, aunque seguía algo mareada. Comprendió entonces que estaba muy débil, y que nunca llegaría a su destino en aquel estado.

«Lo hago por Marla», se recordó a sí misma cuando, aquella noche, se llevó a la boca un pescado viscoso, asado en un fuego que Bran había tardado horas en encender.

Enseguida, Ahriel descubrió que el humano tenía razón en otra cosa: sabía a barro.

Un par de días más tarde, un silbido de Bran la despertó poco antes del amanecer. Ahriel bajó del árbol donde había pasado la noche. Reprimió un gesto de desagrado cuando sus pies se hundieron nuevamente en el barro, pero se apresuró a reunirse con su compañero.

El humano se erguía sobre un pequeño promontorio que se alzaba por encima de la Ciénaga, y contemplaba el horizonte con gesto serio. Ahriel siguió la dirección de su mirada.

Lo que vio la dejó sin aliento. En aquel momento comprendió por qué los había dejado pasar el Rey de la Ciénaga, por qué el rostro de Bran mostraba aquella expresión de profunda añoranza y desesperación al mirar a la lejanía, por qué nadie había logrado escapar de Gorlian hasta el momento y por qué nadie, ni siquiera ella, lo lograría jamás.

La Ciénaga se extendía hasta un poco más allá. Y después...

—Te lo dije —musitó Bran, con la voz cargada de amargura.

—No puedo creerlo —musitó Ahriel—. Tengo que verlo.

Echó a correr hacia los límites de Gorlian. Peleó contra el barro, que insistía en retenerla en aquellos últimos metros, ignoró el cansancio, la sed, el hambre, incluso olvidó, por un momento, su responsabilidad para con Marla. Lo único que llenó su mente y su corazón fueron el horror y la desesperación.

Tropezó y se levantó a duras penas. Avanzó lentamente hasta situarse en el confín último de aquella espantosa prisión. Entonces se quedó quieta, mirando frente a sí con semblante inexpresivo. Apenas fue consciente de que Bran la había alcanzado y se había detenido tras ella.

—Te lo dije —repitió el humano.

Ahriel alzó las manos y las colocó sobre la barrera. Era fría y completamente lisa.

—Parece... parece cristal —musitó.

Pero, si lo era, debía de tener varios cientos de metros de grosor, porque no alcanzaba a distinguir qué había al otro lado. Levantó la cabeza. La muralla se elevaba hasta el infinito, perdiéndose entre las nubes. Sobrecogida, Ahriel miró a derecha e izquierda. Tampoco esta vez vio el límite.

—No hay puertas, ni aberturas —dijo Bran—. No se puede trepar por ella y, además, no tiene fin —suspiró—. Todo Gorlian está rodeado por esta barrera de cristal. Por todas partes. Incluso por arriba.

—¿Por... arriba? —repitió Ahriel en voz baja.

—Es... como una cúpula, ¿entiendes? Una cúpula que nos rodea por todas partes y se cierra sobre nosotros. Una vez, el Loco Mac trató de llegar a lo alto —se estremeció—. Él y sus compañeros atraparon a un engendro alado, y Mac logró montarlo. Cuando regresó de su viaje, se había vuelto completamente chiflado. Dijo que incluso el sol y las nubes estaban encerrados en Gorlian. Suponemos que, por más que subió y subió, no llegó hasta los límites superiores de la prisión.

Ahriel pareció volver a la realidad.

—Pero eso es imposible. No puede existir un lugar tan grande en Karish. La gente lo conocería. Y tiene que haber una puerta... ¿por dónde entran los presos, si no?

Bran se encogió de hombros.

—Nadie recuerda por dónde entró, porque todos llegamos inconscientes. Sabes, todos los recién llegados quieren recorrer la muralla. Muchos mueren en el intento, y los que terminan regresan de nuevo al punto de partida, sin haber encontrado nada, a pesar de haber palpado cada palmo de cristal a ras de suelo, y haber intentado romperlo de todas las formas imaginables, sin lograr hacerle un solo rasguño. También se han explorado todos los túneles de la Cordillera. La mayoría conducen a la guarida de algún engendro, así que puedes ahorrarte la molestia. Te lo he dicho: no hay salida.

Ahriel cayó de rodillas sobre el fango, desesperada. Por primera vez desde su llegada a Gorlian era consciente de que tal vez no lograse salir nunca de allí. Y no estaba preparada para plantearse aquella idea.

—No puede ser cierto —musitó.

Bran no dijo nada.

—¡No puede ser cierto! —chilló Ahriel a la Ciénaga—. ¿Me oyes? ¡¡No es justo!!

Se levantó y echó a correr, siguiendo la muralla de cristal. Su mano se deslizaba por la pulida superficie, esperando encontrar un saliente, una abertura, cualquier cosa. Chapoteó por el barro, sin detenerse a esperar a Bran. Estaba segura de que debía de haber alguna puerta; el hecho de que los humanos no la hubiesen encontrado no demostraba nada: ella era un ángel, y podía ver más allá.

Pero, precisamente por eso, sabía que Bran tenía razón. Aunque no quisiera aceptarlo.

Siguió corriendo a lo largo de la muralla, hasta que el fango retuvo su pie un momento más de lo que ella había calculado, y cayó cuan larga era sobre el lodazal.

Entonces, la verdad la golpeó como una maza.

Era inútil. Por increíble que pareciera, Gorlian estaba en el interior de una inmensa cúpula de cristal. Enorme. Perfecta. Sin fisuras. Podía recorrer la muralla de cabo a rabo, hasta regresar al punto de partida, como había dicho Bran. Y no encontraría nada.

Ahriel se incorporó un poco; se sentó sobre el barro, con la espalda apoyada en el cristal, y trató de poner en orden sus ideas. No se movió ni siquiera cuando Bran llegó a su altura y se sentó junto a ella.

—Pero tiene que haber alguna forma —musitó el ángel.

—Si la hubiera, la habríamos descubierto ya. La gente que llega aquí muere aquí. Algunos han nacido en esta prisión. Son pocos, pues los niños no sobreviven mucho tiempo. Pero aquellos que sobrevivieron saben que morirán también aquí, igual que sus hijos, si los tienen.

—Pero eso no es posible. Si esta prisión la creó la reina Marla... ella tiene sólo diecisiete años, ¿comprendes?

—El tiempo no pasa igual en Gorlian, Ahriel. Hasta los más ancianos de este lugar recuerdan a la reina Marla. Su nombre se pronuncia como una maldición desde hace generaciones. Es una leyenda oscura, un cuento de terror para asustar a los hijos de Gorlian cuando son niños. ¿Cómo te explicas eso?

—Estás mintiendo.

—No lo hago. Y tú lo sabes. Tal vez, en el exterior, hayan pasado pocos años desde que Gorlian se creó. Dos, tres, quizá cuatro. Pero han sido décadas de miseria para los prisioneros de la reina Marla.

Ahriel fue a replicar, pero vio la mirada de Bran, llena de odio, y dijo:

—Ella cambiará. Es una niña. Se ha equivocado. Malas compañías, gente poco recomendable... pero regresaré junto a ella y la conduciré por el buen camino.

Bran soltó un bufido de incredulidad.

—No durarás mucho aquí si no cambias de actitud.

Ahriel le lanzó una mirada penetrante.

—¿Qué te importa a ti? ¿Por qué me has acompañado, si sabías que no había escapatoria? ¿Quieres venderme al Rey de la Ciénaga? No soy fácil de atrapar...

—Lo sé. No, es sólo que... tuve una idea al ver tus alas.

Bran alargó la mano para rozarlas, pero Ahriel retrocedió y le clavó una mirada de advertencia.

—Nunca te atrevas a tocar mis alas —dijo.

Bran retiró la mano con una sonrisa burlona.

—De acuerdo, de acuerdo. Verás, esa cosa que te han puesto en las alas... No sé lo que es, pero lo odias porque no te deja volar.

—No es sólo eso —respondió Ahriel enseguida—. Me hace daño. Ataca mi alma y mi aura, y por eso me quema también la piel.

Se estremeció, y comprendió que hacía mucho tiempo que deseaba hablar de ello con alguien. Pero Bran no la estaba escuchando.

—Bueno, pues pensé —prosiguió— que puede que te hayan inmovilizado las alas por crueldad, pero puede que no. Tal vez lo hicieron por alguna razón. Para impedir que escaparas, por ejemplo.

Ahriel se volvió hacia Bran, sorprendida.

—Y eso querría decir que hay una manera de escapar... volando. ¿No es así?

—Esa era mi idea.

—Pues olvídala. No puedo sacarme esto de encima. Ya lo he intentado.

—No has tenido mucho tiempo para intentarlo. Conozco a una persona que tal vez te pueda ayudar.

Ahriel lo miró fijamente.

—¿Por qué haces todo esto?

—Porque puede reportarme algún tipo de beneficio. Si escapas, me llevarás contigo: me diste tu palabra. Y, si no lo haces y has de quedarte en Gorlian, prefiero tenerte como aliada. Al fin y al cabo, atrapaste a muchos de los criminales que pululan por aquí. Podrías con ellos otra vez si nos diesen problemas. Por otro lado, tú eres una recién llegada y nadie conoce Gorlian como yo, así que podemos ser socios y los dos saldríamos ganando. Con tu fuerza y mi ingenio seremos invencibles.

—Pero también puede que la combinación de tu debilidad y mi estupidez nos lleve al desastre —replicó Ahriel ácidamente—. No, gracias. No necesito un socio.

—Estoy seguro de que cambiarás de opinión —se levantó de un salto—. Y ahora, ¡andando! Tenemos mucho que hacer.

Ahriel lo miró, pero se quedó donde estaba.

—No me gusta moverme sin saber a dónde voy.

—¿Confías en mí, sí o no?

—Todavía no. ¿A dónde quieres llevarme? No me estás diciendo toda la verdad.

El humano bufó con impaciencia.

—Al diablo, ¿sabes? Estoy harto de ser tu criado y que no me lo agradezcas siquiera. Rescato a la señorita Ahriel una noche tormentosa y la acojo en mi casa, pero, ¿qué he obtenido a cambio? ¡Desconfianza! Atravieso toda la Ciénaga y llevo a la señorita Ahriel sana y salva hasta la muralla, pero, ¿he oído una palabra de reconocimiento? Noooo, la señorita Ahriel es demasiado estirada y sólo piensa en Marla por aquí, Marla por allá... ¿Quieres más? Me presento ante el Rey de la Ciénaga y doy la cara por la señorita Ahriel, arriesgando mi propia piel, pero...

—Eso es —cortó Ahriel, frunciendo el ceño—. ¿Es así como engañas a la gente? ¿Con palabrería inútil? Ya sé qué es lo que no marcha bien. Quieres que volvamos a ver al Rey de la Ciénaga.

Bran abrió la boca para replicar, pero no le salieron las palabras.

—Pierdes el tiempo —dijo Ahriel—. No voy a volver allí.

—¡Pero hicimos un trato con él!

—*Tú* hiciste un trato con él. Y no pienso...

—¡Un trato gracias al cual todavía estás viva! —estalló Bran—. ¡Todavía no tienes idea de dónde has ido a parar, ángel! ¡Estás en Gorlian, Ahriel, y aquí hay unas reglas! Si no regresamos y juras fidelidad al Rey de la Ciénaga, ¡nos matarán! Me he arriesgado por ti y... oh, olvídalo. No sé para qué me molesto. No vas a escucharme, así que de todos modos estoy muerto. ¡Maldita sea! Debí dejarte ahí tirada en aquel charco en lugar de llevarte a mi casa.

—No te hagas la víctima. Lo hiciste porque esperabas sacar un beneficio.

—Pero lo hice, ¿no? Y te he ayudado desde entonces. ¿No te sientes en deuda conmigo? ¿Dónde está tu sentido del honor? ¿Vas a permitir que el Rey de la Ciénaga ponga precio a mi cabeza sólo porque lo convencí para que te dejara cruzar sus dominios, y tú no has cumplido tu parte del trato? ¡No es justo!

Las últimas palabras de Bran restallaron en su cabeza como el golpe de un látigo. Le gustase o no, el joven tenía razón. Pero su orgullo se rebelaba ante la idea de jurar fidelidad a un rey de criminales y, por otro lado, había algo en aquel misterioso individuo que le daba mala espina...

—Podemos retrasar esa visita al Rey de la Ciénaga.

—¿Qué? ¿Estás loca? Debemos ir enseguida; de lo contrario, se sentirá agraviado y ...

—Si ese amigo del que me has hablado puede quitarme el cepo, eso no tendrá importancia. Cuando pueda volver a volar, las cosas serán diferentes.

Bran la miró. Ahriel le devolvió una mirada serena, y el humano suspiró.

—Está bien, tú ganas otra vez. Pero ¿cómo me habré metido en este lío? Pensaba que los ángeles solucionaban problemas, pero tú los creas, más que otra cosa...

Sin dejar de rezongar, el humano echó a andar a través del lodazal. Reprimiendo una sonrisa, Ahriel lo siguió.

Cuando Ahriel vio la cabaña de Dag, lo primero que pensó fue que *flotaba* sobre la Ciénaga. Construida sobre una enorme plataforma de madera y amarrada a los árboles más cercanos, daba la sensación de que la vivienda se balanceaba sobre el fango traicionero. Al acercarse más, se dio cuenta de su error: la plataforma se sostenía sobre cuatro pilares de madera que se hundían en el lodo, y seguramente estaban firmemente clavados en terreno sólido.

La cabaña en sí tampoco era gran cosa: construida a base de madera y cañas, su tejado estaba cubierto por una serie de pieles superpuestas; ninguna de ellas pertenecía a un animal que Ahriel pudiese reconocer. «¿Por qué es este lugar tan diferente a todo cuanto conozco?», se preguntó. «¿De dónde salen todas esas bestias monstruosas?»

—¿Sabes por qué Dag tiene algo parecido a una casa? —dijo Bran a Ahriel en voz baja; y, sin esperar respuesta, contestó—. Porque lleva aquí más años de los que nadie puede recordar. Ha tenido mucho tiempo para luchar contra la Ciénaga. Y esto es lo que ha conseguido. Muchos podrían echarlo de aquí, matarlo, sin más. Y muchos matarían por poder dormir en un lugar seco todas las noches. Pero aquí todos respetan al viejo Dag.

—¿Por qué? ¿Por las canas? —a Ahriel se le hacía difícil imaginar que aquellos criminales, que vivían como animales, mostrasen un mínimo de respeto por los ancianos.

Bran movió la cabeza.

—No. Simplemente, porque sabe.

—¿Sabe? ¿Qué es lo que sabe?

Pero Bran no respondió.

Subieron a la plataforma, y Ahriel agradeció apoyar los pies en un lugar seco.

—¿Quién anda ahí? —dijo una voz desde el interior.

—Soy Bran. Vengo con alguien.

Hubo un breve silencio.

—Pasad. Pero sacudíos un poco el barro antes de entrar, o vais a ponerlo todo perdido.

Los dos se apresuraron a hacer lo que decía el dueño de la casa. Entonces Bran abrió la delgada puerta de cañas y pasó al interior de la cabaña. Ahriel lo siguió.

La casa del viejo Dag era similar a la de Bran en la Cordillera: demasiado pequeña y con poco espacio para muebles y objetos, que se amontonaban unos encima de otros. Su dueño los observaba desde un rincón, donde se hallaba sentado sobre un jergón.

—Perdonad que no me levante —tosió el viejo—. La artritis me está matando. Es la humedad, ¿sabéis?

—Deberías haberte ido a vivir a la Cordillera —le reprochó Bran, sentándose junto a él.

—Tonterías —rezongó Dag—. Ese lugar está muerto.

—Pero está seco. Cualquier día pisarás donde no debes, y el fango se te tragará.

—Y cualquier día tú darás un paso en falso y te despeñarás —gruñó el anciano—. Bueno, escupe: ¿a qué has venido?, ¿y quién es tu amiga? Una recién llegada, por lo que veo... —Dag se inclinó hacia ella—. Acércate...

Ahriel se acuclilló para que sus ojos quedaran a la altura de los del viejo.

—Es un ángel —empezó Bran—. Se llama...

—Ahriel —dijo Dag, sorprendido.

Ahriel retrocedió un paso.

—¿Me conoces?

—Por supuesto. ¿No lo recuerdas? No sé cuánto tiempo habrá pasado para ti ahí fuera, pero para mí, en Gorlian, han sido cincuenta largos años...

Ahriel lo miró con mayor atención, y lanzó una exclamación consternada.

—¡Dagar! —dijo; jamás olvidaba un nombre, ni una cara—. Pero no es posible. Fue hace dos años. ¡Y tú entonces tenías apenas veinte!

El anciano soltó una risa floja.

—Si hubieses venido aquí hace cuarenta, treinta, veinte años... te habría matado nada más verte. Pero ahora soy viejo, ángel, y mi odio se apagó hace tiempo.

—Te recuerdo —dijo Ahriel con frialdad—. Mataste a un hombre.

Dag se encogió de hombros.

—Me sorprendió robando en su casa. Lo cierto es que no tuve tiempo de arrepentirme: me enviasteis a Gorlian de inmediato. Desde entonces he matado a muchos hombres más. Esa es la idea de la justicia que tiene la reina Marla: encerrar a todos los criminales juntos en un lugar desolado para que se maten entre ellos.

Ahriel palideció de ira, pero no dijo nada.

—De modo que han pasado dos años ahí fuera —prosiguió Dag—. Bueno, no me sorprende. Eso no hace más que confirmar mi teoría de que Gorlian es una prisión creada mediante la magia. Las leyes espacio-temporales que rigen este lugar son distintas a las de fuera. Y los engendros...

—¡Los engendros! —repitió Ahriel—. ¿Qué sabes de ellos?

Dag rió por lo bajo.

—Yo fui quien les puso ese nombre. Los engendros, sabes, no pertenecen a Gorlian. Aparecen de la noche a la mañana, y no se reproducen entre ellos porque cada uno es único. A ellos les sucede como a nosotros: son elementos que el mundo exterior no quiere ver. Los arrojan a Gorlian, igual que a los criminales. Porque la misma magia desquiciada que creó esta prisión sigue creando engendros en el exterior. Con qué objetivo... no lo sé. Tengo la teoría de que ahí fuera hay alguien que experimenta con magia prohibida.

—¿Los engendros son experimentos fallidos? —murmuró Ahriel.

—Criaturas mutadas mediante una magia desvirtuada y cruel.

Ahriel recordó el terrible sufrimiento que padecía el horrendo gusano que la había atacado en la cueva.

—No puedo creer que no lo supieras —dijo Dag, mirándola fríamente.

Ahriel sostuvo su mirada.

—No lo sabía —dijo—. Ni siquiera sabía cómo era Gorlian hasta que vine aquí.

—Aunque así fuera, Ahriel, este no es un buen lugar para el ángel de la reina Marla. Te matarán.

—No si jura fidelidad al Rey de la Ciénaga —intervino Bran—. Pero no quiere hacerlo.

—Hum, el Rey de la Ciénaga es astuto. Sabe que puedes traerle problemas y quiere tenerte bien atada. Y creo que lo ha conseguido.

—No lo ha conseguido —replicó Ahriel—. Sólo yo soy dueña de mi destino.

—Y la reina Marla, claro —añadió Bran, de mal talante.

Ahriel lo ignoró. Dag se acarició la barba, pensativo.

—Ese orgullo... Todavía no has recibido el Golpe, ¿verdad?

—¿El Golpe?

—Llamamos así al momento en que un recién llegado comprende que no hay manera de escapar. Entonces, todo su mundo se viene abajo. Su orgullo se cae a pedazos. Sus últimas esperanzas mueren sin remedio. Muchos no llegan a asimilar la idea de que van a quedarse aquí para siempre. Algunos enloquecen. Otros se quitan la vida. Pero la mayoría aprende...

»Yo fui uno de los primeros presos de Gorlian. Perdí la esperanza y el orgullo, pero no las ganas de saber. He explorado todos los rincones de este lugar, he hablado con todos los que llegaban, he estudiado todas las posibilidades. He aprendido a vivir en Gorlian, pero en cincuenta años no he descubierto la manera de escapar. ¿Por qué crees tú que vas a ser diferente?

—Porque soy un ángel —repuso Ahriel.

Dag abrió la boca para replicar, pero ella dijo:

—Mira.

Se dio la vuelta y le mostró sus alas para que pudiese ver el cepo.

—Ya veo —murmuró Dag.

Ahriel sintió que la mano del viejo se acercaba al cepo y se estremeció.

—No me toques las alas —le advirtió.

Dag no lo hizo. Sus dedos rozaron el cepo. Apartó la mano enseguida.

—Magia negra —dijo solamente.

—Yo no puedo verlo. ¿Qué... qué aspecto tiene?

—Es una serpiente, hecha de algún tipo de metal. De color oscuro. Está enroscada en torno a tus alas de forma que no permite que las muevas. Es un material muy frío al tacto.

—Pero a mí me quema —murmuró Ahriel—. ¿Habías visto antes algo parecido?

—No. Yo sólo soy un pobre diablo, Ahriel. Sólo sé lo que las calles me enseñaron en mi niñez, y lo que luego he aprendido en Gorlian durante los últimos cincuenta años.

—Pero tú sabes cosas —intervino Bran.

—Porque miro a mi alrededor. Miro y aprendo. Y me pregunto: ¿por qué?

—Has dicho que esto es magia negra —dijo Ahriel—. ¿Qué sabes de la magia negra?

—Que es la forma más corrupta de toda la magia.

—No abundan los magos en nuestro mundo. Las leyendas dicen que antaño proliferaron en la tierra, pero el tiempo los diezmó a todos.

—La magia no muere, ángel. Sólo aguarda el momento apropiado para resurgir.

—Alguien la ha hecho resucitar en Karish —intervino Bran, sombrío—. Un grupo de personas que han reavivado ese poder y lo han corrompido. Y todo ello con el consentimiento de la reina Marla.

—Pero ella no es mala en el fondo —se apresuró a replicar Ahriel—. Las malas compañías...

—¡Deja de decir eso! —cortó Bran—. ¿Por qué no reconoces de una vez que ella es la retorcida inteligencia que está detrás de todo esto?

—¡¡Cómo te atreves!! La reina Marla...

—¡Silencio los dos! —atajó Dag—. Ahriel, yo creía que los ángeles juzgabais a las personas por sus actos. ¿Por qué Marla es diferente? ¿Por qué en su caso importan más sus motivos que sus acciones?

—Porque ella es joven. Se ha equivocado...

—También yo era joven cuando fui enviado a Gorlian. Mi primer «error» costó la vida a un hombre, y he pagado por ello el resto de mi vida.

Los «errores de juventud» de Marla han costado la vida a mucha gente, y tú todavía la disculpas. ¿Por qué? ¿Porque ella es una reina, y yo era sólo un ratero?

Ahriel calló. Sus ojos se encontraron con los de Bran, y leyó en ellos rabia y rencor.

—No te molestes, Dag —dijo él—. Para ella, las cosas son blancas o negras. Y nosotros estaremos siempre en el bando de los malos. Nadie es perfecto, Ahriel —añadió, mirando al ángel—. Ni siquiera tú. ¿Quién eres tú para juzgarnos?

—Ya basta, Bran... —empezó Dag, pero Ahriel alzó la mano.

—No, déjalo. Tiene razón. Me he equivocado. Cuando salga de aquí...

—¿Qué? —gruñó el joven—. ¿Qué vas a hacer? ¿Sacarnos a todos de Gorlian y liderar una revolución contra la reina Marla? ¿Vas a matarla con tus propias manos? ¿O todavía quieres creer que volverá al sendero del bien si le das unos cuantos azotes?

—No voy a matarla —dijo Ahriel—. No puedo.

—¿Por qué no? Como ha dicho Dag, enviaste a muchos criminales a una muerte segura en Gorlian. ¿Por qué ella no...?

—Porque es mi protegida. No pude secundarla en sus planes cuando los descubrí, y por eso me envió aquí. Pero tampoco puedo... tampoco puedo enfrentarme a ella. Hice un juramento y... pero no, vosotros no lo entendéis.

—No hará falta que lo entendamos, Ahriel —dijo Dag—, porque no vas poder enfrentarte a ella. Estás en Gorlian: no hay escapatoria.

Los dos se volvieron para mirarle.

—¿Por qué no? —dijo Bran—. Sus alas...

—Pensaste que le habían inmovilizado las alas para evitar que escapase, ¿no es cierto? Bien, puede que tengas razón. Pero eso no cambia para nada el hecho de que no puede volar. Por tanto, no puede escapar.

Un pesado silencio cayó sobre la casa del viejo Dag.

—Pero... yo creí que tal vez tú... —balbució finalmente Bran.

—¿Que yo podría quitarle a Ahriel el cepo que aprisiona sus alas? —rió Dag—. Puede que sepa mucho sobre Gorlian, muchacho, pero sigo siendo un pobre diablo que ni siquiera sabe leer. No, Ahriel. Si la magia negra cerró ese cepo, sólo la magia negra podrá abrirlo de nuevo. Pero estoy seguro de que eso tú ya lo sabías.

Ahriel no dijo nada. Dag tenía razón: sí, lo sabía. En el fondo de su corazón, lo había sabido desde el principio: sólo aquél que le había puesto el cepo podría quitárselo de nuevo.

Estaba atrapada en Gorlian.

Para siempre.

—Necesito estar sola —dijo bruscamente.

Se levantó y salió de la cabaña.

—¡Estupendo! —gruñó Bran, de mal humor—. ¡Me he jugado el cuello por nada!

—No por nada —lo contradijo Dag—. Si ella abre los ojos y acepta la realidad como es, hará grandes cosas aquí. Ahriel es la criatura más extraordinaria que jamás ha pisado Gorlian. Sólo que aún no lo sabe.

—Permíteme dudarlo —refunfuñó Bran.

—Oh, pero tú ya lo sabías, amigo mío —rió el viejo—. De lo contrario, no la habrías ayudado. Y el Rey de la Ciénaga lo sabe también.

En el exterior de la cabaña, Ahriel se había sentado en el porche, sobre la plataforma, y reflexionaba acerca de todo lo que había vivido en los últimos días. Su mundo se había vuelto del revés. Su vida había dado un giro inesperado, había experimentado un cambio tan profundo que creía que jamás llegaría a asimilarlo del todo. Hundió el rostro entre las manos. Apenas unos días antes todo estaba claro, todo tenía sentido. Su misión era su vida. Su destino estaba ligado al de Marla, hasta que ella muriera.

Ahora estaba prisionera en un lugar que más parecía un mal sueño que una prisión.

Para siempre.

Ahriel suspiró. Hasta aquel momento, la idea de que saldría de allí para regresar con Marla había sido lo único que la había mantenido en pie. Pero ahora…

¿Cómo podría sobrevivir en Gorlian? Siempre había creído estar por encima de los seres humanos.

Ahora tendría que aprender a vivir como un animal: chapoteando en aquel barrizal, durmiendo en agujeros pestilentes, alimentándose de sapos y peces viscosos o de carne de engendro, viviendo entre delincuentes embrutecidos...

No, nunca podría.

Se miró las alas con tristeza. Caían por su espalda, lacias y sucias, sin la menor gracia. Se preguntó si algún día volvería a alzarlas para volar de nuevo, blancas como la espuma de mar.

«Acostúmbrate a la idea», dijo una voz en su cabeza con crueldad. «Nada va a cambiar». Ahriel apretó los puños. Aquella irritante voz le recordaba a la de Bran. Sintió una oleada de rabia, porque el humano la sacaba de quicio. Trató de controlarse. Se preguntó, con amargura, qué había sido del ángel imperturbable que impartía justicia con serenidad y rectitud. «Ahora se arrastra por una Ciénaga, cubierta de barro», dijo de nuevo la voz. Ahriel experimentó de pronto algo parecido al odio, y la intensidad de aquel sentimiento la asustó. Logró serenarse de nuevo.

Los ángeles no odiaban. Los ángeles no amaban. Aquellas emociones eran propias de seres humanos, pero no de criaturas como Ahriel. Las emociones distorsionaban la visión ecuánime y objetiva del ángel. Los sentimientos impedían pensar y juzgar con claridad.

«¿Quién eres tú para juzgarnos?», había dicho Bran.

Ahriel suspiró de nuevo, asustada. Tenía dudas. Estaba perdida y sola, y no sabía qué hacer. Nunca antes había experimentado aquella sensación, y no le gustaba.

También era demasiado humana, porque los ángeles nunca dudaban. Siempre sabían cuál era la opción correcta en cada momento, y actuaban en consecuencia.

«No soy... humana», se recordó a sí misma.

Casi había logrado controlar su miedo cuando percibió un movimiento a la derecha. Lo observó con el rabillo del ojo, sin moverse, aparentemente concentrada en ajustar a los pies su calzado de pieles. No tardó en hacerse cargo de la situación.

Aún esperó unos segundos más antes de levantarse, tranquila, y entrar en el interior de la cabaña.

Halló a Dag y a Bran discutiendo sobre un mapa trazado sobre una piel seca de algo irreconocible.

—Nos tienen rodeados —informó con voz neutra—. He contado seis personas, aunque puede haber más. Todavía no han dado la cara, pero se están acercando.

Dag miró con gravedad a sus dos visitantes.

—Es la gente del Rey de la Ciénaga. Os han encontrado.

—Está bien, está bien —gruñó Bran—. Trataré de solucionar este lío. Si nos mostramos razonables, tal vez...

—No voy a jurarle fidelidad a ese tipejo —dijo Ahriel.

—Eso no es mostrarse razonable, precisamente —opinó Bran—. Veamos, hemos ofendido al Rey de la Ciénaga, así que ahora ha puesto precio a nuestras cabezas, y el número de individuos que estarían dispuestos a cobrar ese precio asciende a... ¡¡todo bicho pensante en Gorlian!! —chilló, furioso—. ¿Es que todavía no te das cuenta, maldita sea? ¡¡¡Estamos muertos!!!

—No grites —replicó Ahriel—. Te van a oír.

—Muy bien, entonces dime, ¿cuál es tu genial idea para sacarnos de este atolladero?

—Vamos a luchar.

—¿Con palos y estacas? Muy inteligente por tu parte, alitas. Bien, ahora atiende. Tengo una idea mejor. Sospecho que no te va a gustar pero, por una vez en tu vida, escucha y obedece. Nuestra vida depende de que esto salga bien.

VII

ia estaba de muy mal humor. Su señor la había enviado a la cabaña de Dag para matar al ángel y a aquel gusano de Bran. En otras circunstancias, Gia no habría tenido el menor inconveniente en obedecer las órdenes. El ángel de la reina Marla merecía, en su opinión, la más atroz de las muertes, y en cuanto a Bran... bueno, hablaba demasiado. Pero no entendía por qué el Rey de la Ciénaga se había dejado embaucar por aquella sabandija. Gia había sabido desde el primer momento que ellos no cumplirían su parte del trato. Deberían haber matado al ángel cuando lo tenían al alcance de la mano. De ese modo, Gia se habría ahorrado aquella expedición inútil.

Los informadores habían dicho que Bran y el ángel habían llegado a los límites de Gorlian y después habían evitado deliberadamente la corte del Rey de la Ciénaga para ir a visitar al viejo Dag. Las órdenes del rey eran terminantes: matar al ángel y a Bran, pero *no* al anciano. Incluso para el Rey de la Ciénaga, Dag era toda una institución en Gorlian.

Gia resopló y siguió avanzando con cautela hacia la cabaña. El ángel se había quedado sentada en la plataforma durante un rato, pero después había vuelto a entrar. Si se había percatado de su presencia, no había dado señales de ello. De todos modos, los fugitivos no serían rival para Gia y su grupo. Sólo eran tres: un ángel que no podía volar, un tipejo con más lengua que músculos y un viejo con reúma.

—¿A qué estamos esperando? —murmuró alguien.

Gia lo hizo callar con un gesto y estudió la cabaña. Todo parecía silencioso y tranquilo. Demasiado tranquilo. La mujer sacudió la cabeza. ¿De qué tenía miedo?

—Adelante —dijo solamente.

El grupo abordó la plataforma y Gia echó la puerta abajo de una patada.

—¡Vosotros dos...! —empezó, pero calló de pronto y dio una mirada circular, incrédula.

La cabaña estaba vacía, a excepción del jergón, desde donde los observaba Dag, perplejo. No había nadie más, y el lugar no ofrecía ningún escondite que pudiese ocultar a un ángel y un humano, por escuálido que éste fuese.

—¿Eh? ¿Qué...? ¿Cómo...? —murmuró Dag, aturdido, parpadeando.

Gia atravesó la pequeña cabaña hecha una furia y sacó al viejo de debajo de las pieles.

—¡Tú! —vociferó—. ¿A dónde han ido?

—¿Cómo... quiénes? ¡Ah! Te refieres a Bran y la señorita Ahriel... ¿no están aquí?

—Sabes de sobra que no —siseó la mujer—. Sólo te lo repetiré una vez: ¿a dónde han ido?

—Oh, yo... no lo sé. Me quedé dormido. Deben de haberse marchado y...

—¿Y cómo lo han hecho? ¿Acaso insinúas que se han esfumado en el aire?

—No lo sé, yo estaba dormido... aunque ahora recuerdo que la señorita Ahriel mencionó algo al respecto...

—¿Sí? —el tono de voz de Gia descendió peligrosamente—. ¿Sobre esfumarse en el aire?

—Una habilidad propia de los ángeles —aseveró Dag, muy serio—. Lo llaman «tele...tele...telepor...»

—¡Silencio! —gruñó Gia; soltó al anciano, malhumorada, y Dag se dejó caer de nuevo sobre el jergón con un gemido.

La mujer salió de nuevo al exterior, ignorando las sonrisas maliciosas de sus compañeros. ¿Cómo podían haber escapado delante de sus narices? Aquella absurda patraña del viejo no resultaba creíble. Si Ahriel fuera capaz de hacer algo así, sin duda no habría pasado tantos días arrastrándose por la Ciénaga. Pero, por otro lado, no había modo de escapar de la cabaña. La tenían completamente rodeada. A no ser...

Gia dio un respingo. Se volvió hacia sus hombres.

—¡Abajo! ¡Todos! Buscad por los alrededores. ¡No pueden haber ido muy lejos!

Un poco más lejos, dos cañas se deslizaban lentamente a través del pantano. Los matones de Gia no podían llegar a verlas desde donde se encontraban, pero momentos antes las dos cañas habían pasado junto a ellos sin ser advertidas. Ahora se desplazaban hacia un grupo bastante compacto de árboles del fango que las ocultaría de miradas indiscretas.

Mientras Gia reorganizaba a su tropa, las dos cañas emergieron totalmente del barro, seguidas por dos cabezas completamente enfangadas. Ahriel se quitó el barro de los ojos y la boca y respiró una amplia bocanada de aire húmedo. Miró a Bran, quien, a su lado, espiaba los movimientos de sus perseguidores desde detrás del árbol.

—No los hemos engañado —dijo; escupió el barro que le había entrado en la boca—. Han comenzado a buscarnos.

—¿Crees que habrán descubierto la trampilla?

—Dag dijo que colocaría su jergón encima para taparla, pero puede que ésos sean más listos de lo que creíamos. En cualquier caso, hemos pasado junto a ellos sin que se diesen cuenta.

—Sí, pero, ¿cuánto tiempo podremos ocultarnos bajo el fango?

—En teoría podemos estar aquí abajo indefinidamente. Pero no soy optimista: comprendo que es demasiado desagradable.

Ahriel no dijo nada. Limpió con cuidado uno de los extremos de su caña, se lo puso en la boca y volvió a sumergirse bajo el fango. Bran la siguió.

La capa de légamo era bastante más fluida en aquella zona, y tenía poco más de un metro de espesor. Eso les permitía avanzar por debajo de la superficie con el vientre pegado al suelo, pero se movían muy lentamente, y completamente a ciegas. Ninguno de los dos se habría atrevido a abrir los ojos con la cabeza sumergida en el lodo. Aquella sustancia era demasiado inmunda.

Pero se movían. Bran avanzaba delante, tanteando con las manos. Había estudiado el terreno con atención desde uno de los ventanucos de la casa de Dag, antes de escapar por la trampilla que el anciano utilizaba a veces para poder pescar sin moverse de su refugio cuando la artritis no lo dejaba levantarse. Aunque el plan era arriesgado, Bran había calculado la distancia que debían recorrer hasta poder sentirse más o menos a salvo, y sabía también en qué dirección debían avanzar, y los posibles obstáculos que podían encontrar en su camino.

Con todo, no había previsto aquello.

Tras varios angustiosos minutos moviéndose bajo la capa de lodo, Bran alargó la mano para tantear el terreno y la sintió salir a la superficie. Perplejo, avanzó un poco más y la parte superior de su cuerpo quedó desprotegida. Se quitó el barro de los ojos, volvió la cabeza y vio las alas de Ahriel sobresaliendo por encima del fango. Inspiró hondo.

La cabeza del ángel salió también a la superficie. Los dos se miraron, desconcertados.

La capa de lodo ya no era lo bastante profunda como para ocultarlos.

—Corre —dijo Bran.

Se pusieron en pie. El barro les llegaba por debajo de las rodillas. Echaron a correr sin mirar atrás.

Oyeron tras ellos un grito de advertencia: los habían visto. Les llevaban un buen trecho de distancia, y no había duda de que sus perseguidores encontrarían tantas dificultades como ellos a la hora de avanzar a través del barrizal, pero ellos eran un grupo numeroso y, por otro lado, no podían estar huyendo siempre...

Ahriel apartó de su mente aquellos pensamientos. Se limitó a seguir a Bran, que parecía correr en una dirección determinada. El humano podía ser flaco y algo neurótico, pero desde luego no le faltaba ingenio.

Ahriel vio que se dirigían hacia un promontorio. Oía a sus perseguidores cada vez más cerca, y se preguntó qué andaba tramando Bran.

Lo averiguó enseguida.

El joven se detuvo bruscamente, y Ahriel casi tropezó con él.

—¿Qué haces?

Bran no respondió. El ángel lo vio escudriñar la superficie de la Ciénaga con un brillo calculador en la mirada.

—¿Están muy lejos? —preguntó.

Ahriel miró por encima del hombro.

—A menos de cincuenta pasos de distancia.

Bran se mordió el labio inferior. Ahriel no lo consideró una buena señal.

—Se acercan —informó—. Menos de cuarenta pasos.

Bran tenía todavía los ojos fijos en el barro. Ahriel siguió la dirección de la mirada. Percibió una ondulación en la superficie del lodo, un poco más allá.

—Bran —dijo, estremeciéndose—. ¿Qué...?

—Cuando yo te diga, salta —dijo él.

—¿Qué...?

Pero en aquel momento los hombres de Gia irrumpieron en el lugar lanzando salvajes alaridos, que se confundieron con el grito de Bran:

—¡¡Ahora!!

Ahriel sintió que su compañero la agarraba del brazo y tiraba de ella hacia adelante. Instintivamente, trató de desplegar las alas, pero el cepo se lo impidió. Fue vagamente consciente de que ambos saltaban por encima de algo sinuoso y resbaladizo que emergía del barro con sorprendente rapidez, descubriendo un cuerpo espantosamente grande...

Ahriel chocó contra la base del promontorio y se sintió aturdida por un instante. Bran tironeó de ella con urgencia, y se obligó a sí misma a ponerse en pie y trepar hasta lo alto del calvero mientras resonaban en sus oídos los gritos aterrorizados de sus perseguidores. Una vez allí, jadeando, se volvió para mirar.

Deseó no haberlo hecho.

Una gigantesca serpiente de pantano se cernía sobre los hombres de Gia, que huían aterrorizados. Su cabeza deforme parecía haber sido modelada por un bebé gigante que hubiese estado estrujando una bola de arcilla. Su cuerpo, lleno de bultos como enormes verrugas, se retorcía de dolor y de furia.

Ahriel contempló, sobrecogida, cómo la boca de la serpiente se cerraba sobre el último rezagado, que desapareció en su interior con un horripilante grito de pánico.

—Ahí va mi pequeñuela —dijo Bran—. Justo a tiempo para sacar a papá de los líos en que se mete.

—No te parecería tan «pequeñuela» si estuvieses en el lugar de esa gente —objetó Ahriel con acritud.

—No seas tan dura conmigo, alitas. Creo que me merezco un premio: acabo de demostrar que la astucia puede derrotar a la fuerza bruta y, por si eso fuera poco, te he salvado la vida...

—Yo no estaría tan segura —dijo una voz a sus espaldas.

Los dos se volvieron.

Gia estaba tras ellos. Su rostro estaba marcado por una mueca de odio.

—Gia... me alegro de verte —dijo rápidamente Bran—. Qué pena lo de esos tipos, ¿verdad? Traté de avisarlos de que habíamos entrado sin darnos cuenta en el territorio de la Culebra, pero ya sabes, la gente no escucha y...

—He perdido a dos de mis hombres —cortó ella—. Me temo que vais a correr su misma suerte. Es lo justo, ¿no?

Se abalanzó sobre ellos con un grito de furia. Ahriel alzó su bastón y lo interpuso entre las dos. Bran miró a su alrededor, nervioso, y comenzó a rebuscar en su morral cubierto de barro, mientras Ahriel bregaba con Gia. El ángel era más fuerte que la humana, y la lanzó hacia atrás, pero Gia volvió a la carga. Algo brilló en su mano derecha. Ahriel se apartó; Gia pasó muy cerca de ella, y el ángel sintió un agudo dolor en el brazo. Descubrió que la mujer la había herido y la miró, sin dar crédito a sus ojos. Y entonces lo vio.

—¡Un puñal! —murmuró—. ¿De dónde lo has sacado?

Gia no respondió. Alzó de nuevo la daga y cargó contra Ahriel por tercera vez. El ángel detuvo su brazo cuando ya se abatía sobre ella, y las dos lucharon por el arma.

—¡Bran! —gritó Ahriel—. ¡Bran, ayúdame!

Descubrió entonces que el humano se había esfumado.

Su traición provocó una oleada de ira en su interior. Hizo acopio de fuerzas y dio un fuerte tirón. Logró arrebatarle el puñal a Gia, pero las dos perdieron el pie y cayeron de nuevo al lodazal.

Ahriel se incorporó a duras penas. Gia estaba ya dispuesta a lanzarse sobre ella de nuevo, cuando un movimiento tras ellas las hizo detenerse y mirar a su espalda.

A Ahriel se le congeló la sangre en las venas.

La enorme serpiente contrahecha alzaba la cabeza sobre ellas. Ahriel descubrió, sobrecogida, que no tenía ojos y que, al igual que el gusano que la había atacado en la Cordillera, todo su ser vibraba de dolor.

Con todo, la serpiente podía percibir su presencia, porque su cabeza descendió velozmente sobre Ahriel, que gritó y trató de retroceder... pero, de pronto, la criatura se detuvo en seco, como frenada por alguna fuerza invisible. La aguda vista de Ahriel descubrió entonces que llevaba puesto una especie de arnés. Sorprendida, alzó la cabeza y miró por encima de la cresta de la serpiente.

Y vio a Bran.

El humano estaba sentado a horcajadas sobre el lomo de la serpiente, y parecía muy satisfecho de sí mismo. Sostenía con firmeza unas riendas que, de alguna manera, había logrado pasar por la cabeza y el cuello del enorme reptil. Ahriel lo miró, estupefacta. También Gia se había quedado de piedra.

—¡No te quedes ahí parada! ¡Sube!

Como en un sueño, Ahriel obedeció. Se acomodó sobre el lomo escamoso de la serpiente, justo detrás de Bran. Con un airoso movimiento, el humano tiró de las riendas e hizo retroceder un poco al engendro. Después, los dos se alejaron de allí, todavía montados sobre el lomo del animal, dejando atrás a una desconcertada Gia, que no tuvo ánimos ni valor para seguirlos.

Ahriel no guardaría muchos recuerdos de aquel extraño viaje de regreso a la Cordillera. El cuerpo de la serpiente describía sinuosas ondas sobre la superficie de la Ciénaga, y Bran parloteaba acerca de su hazaña. Pese a que el humano le había asegurado que no era la primera vez que embridaba a la gran serpiente, a Ahriel todavía le resultaba difícil de creer.

—Se requiere más habilidad, agilidad y rapidez que fuerza bruta —estaba diciendo Bran— y, por supuesto, reflejos y sangre fría. ¡Y cerebro! A excepción del Loco Mac, a nadie en Gorlian se le había ocurrido antes montar a un engendro. No, esos brutos sin seso sólo los matan o corren ante ellos como alma que lleva el diablo. Pero yo...

Ahriel lo escuchaba a medias. Bran siguió cacareando durante una buena parte del viaje, hasta que se cansó de no obtener respuesta. Entonces se volvió hacia el ángel.

—¿No me estás escuchando? ¿Qué te pasa? ¡Hemos burlado al Rey de la Ciénaga! ¡Somos grandes! ¡Nada podrá pararnos ahora!

Ahriel tardó un poco en contestar.

—Pero todo esto es... es tan extraño —pudo decir—. No comprendo este mundo...

—Porque no lo conoces. Pero eso se soluciona con el tiempo.

El ángel sacudió la cabeza.

—¿Qué voy a hacer ahora?

—Considerando que no puedes salir de aquí y que el Rey de la Ciénaga te persigue para matarte, yo diría que no tienes muchas opciones —opinó Bran—. De momento, yo en tu lugar me conformaría con seguir con vida. No es tan fácil como parece, ¿sabes?

Ahriel no dijo nada. Se dio cuenta entonces de que todavía sostenía algo en la mano. Lo miró.

Era el puñal que le había quitado a Gia.

—Me pregunto... —dijo, pero no añadió nada más.

Cuando dejaron atrás la Ciénaga y el cuerpo de la serpiente, a la que Ahriel había sacrificado, el humor de Bran mejoró considerablemente, y más todavía al ver la daga que había conseguido su compañera.

—Guárdala bien —le aconsejó—. En Gorlian, eso es un auténtico tesoro. Ojalá supiera de dónde diablos la sacó Gia.

Ahriel no respondió. Los dos se internaron en el paisaje rocoso de la Cordillera.

Apenas medio día después de que abandonaran la Ciénaga, Ahriel se percató de que Bran se había desviado de la ruta.

—Por aquí no se va a tu casa —le dijo.

—Ya lo sé. Es que tengo una sorpresa para ti. Estoy seguro de que te va a encantar.

Ahriel acogió la noticia con un ligero escepticismo, pero lo cierto fue que Bran la sorprendió gratamente apenas un par de horas después.

Trepaban por la falda de una montaña escarpada cuando el humano, que iba delante, se desvió por una ruta que parecía completamente impracticable. Se descolgó como un mono por la pared rocosa y, tras alcanzar una pequeña grieta, se introdujo por ella. No sin dificultades, Ahriel lo siguió.

Se encontró de pronto en una pequeña cueva natural. Un poco más allá, Bran le sonreía.

—¡Mira, ven a ver esto! —la llamó.

Ahriel se reunió con él. Cuando sus ojos se acostumbraron a la penumbra, vio algo que brillaba en el suelo. Se agachó, temblando, sin poder terminar de creérselo.

—¡Agua! —dijo.

El humano asintió, mientras el ángel bebía con avidez.

—Toda tuya, preciosa. Nadie más que yo conoce este lugar. La lluvia se filtra por las rocas y llega hasta aquí razonablemente limpia. Puedes bañarte si quieres y quitarte de encima todo ese barro. Cuando vuelva a llover, el agua del pozo se renovará.

Ahriel se zambulló en aquella pequeña piscina natural. Bran se sentó en la boca de la cueva, de espaldas a ella, para dejar que disfrutara del baño.

—Hay una cosa que no entiendo —le dijo desde allí—. ¿Por qué tuviste que matar a la serpiente? No sé, comprendo que, si un bicho de ésos te ataca, instintivamente le devuelvas el golpe... o des media vuelta y eches a correr, que es lo que haría yo. Pero matarla así, a sangre fría, cuando ya la habíamos dominado... ¿por qué?

—Porque sufría —respondió ella.

—¿Sufría? —repitió Bran, volviéndose.

—¡Eh, no mires!

—Lo siento —dijo él, girando la cabeza de nuevo—. ¿Qué has querido decir con eso de que sufría?

—Todos esos engendros soportan un dolor físico y espiritual espantoso. Puedo sentirlo en su aura. Y canalizan ese dolor transformándolo en furia asesina.

—¿Y eso te da derecho a matarlos sin más?

—Es un acto de piedad. Para que dejen de sufrir.

—No estoy de acuerdo —bajó la voz—. Sabes, yo tenía un hermano. Se llamaba Tobin. Nació débil y con un pie deforme, y la comadrona decía que había que abandonarlo, porque no sobreviviría y, si lo hacía, sería un desgraciado toda su vida. Mi madre no quiso escucharla...

—¿Y qué pasó? —preguntó ella desde el interior de la cueva.

—Tobin sobrevivió. No era el más rápido, ni el más fuerte. Pero era listo.

Bran calló, sumido en sus pensamientos. No oyó a Ahriel hasta que ella se sentó a su lado.

—Comprendo —dijo—. Pero Tobin era así por naturaleza. En cambio, esos engendros son una creación humana. No deberían existir. Ni siquiera los quieren sus creadores, ya que los abandonaron aquí como a desechos.

Bran la miró. Ahriel se había lavado a conciencia. Sus alas volvían a ser blancas, si bien seguían mostrando un ligero tono color pardo. Se había soltado el pelo, que caía en ondas sobre sus hombros.

—Creo que te he ensuciado el baño —dijo ella—. Lo siento.

—No importa, estoy habituado a estar sucio... espera, ¿qué has dicho? ¿Me has pedido perdón, alitas?

—Pero no te acostumbres.

Al caer la tarde llegaron a la casa de Bran.

—¡Por fin en casa! —canturreó él mientras trepaba por la falda de la montaña—. Cuando llevas tanto tiempo en Gorlian, hasta una pocilga como la mía parece un palacio de...

Se interrumpió de pronto y miró frente a sí, sin dar crédito a sus ojos. Ahriel se detuvo junto a él y siguió la dirección de su mirada.

La chabola de Bran ardía por los cuatro costados.

Los dos sabían que era inútil tratar de salvar algo, de modo que se quedaron allí, mirando en silencio, esperando a que el fuego terminase de consumirse. Ahriel echó un vistazo al rostro de Bran. El humano había utilizado la daga de Ahriel para afeitarse la barba y recortarse el pelo, y ahora mostraba un aspecto muy diferente. O tal vez no fuera sólo eso, sino también la expresión, extraordinariamente seria, que se leía en su rostro, y que no era propia de él. Las llamas se reflejaban en sus ojos, y al ángel le pareció que estaban ligeramente húmedos.

Por fin, cuando el techo se derrumbó con estrépito, Bran despegó los labios.

—Miserables —dijo.

—¿Quién ha sido? ¿Y por qué?

—Apostaría por el grupo de Yuba. Las noticias corren rápido; seguro que todo el mundo sabe ya que el Rey de la Ciénaga nos ha desahuciado.

—Es culpa mía. Lo siento —dijo Ahriel de corazón.

Bran la miró, y sus ojos brillaron, maliciosos.

—Van dos veces en un día, alitas. ¿No estarás enferma?

Ahriel sonrió.

—¡Caramba! —exclamó Bran—. ¡Sabes sonreír! Había llegado a pensar que los ángeles llevabais siempre puesta la misma cara de palo...

Ahriel frunció el ceño, pero apartó la mirada para que Bran no viera lo confusa que la había dejado su comentario.

Ella misma era demasiado consciente de que, cuanto más tiempo pasaba en aquel lugar, más recordaba su comportamiento al de una humana cualquiera.

—¿Qué vamos a hacer ahora? —preguntó, cambiando de tema.

—El Rey de la Ciénaga es fuerte en su territorio, aunque aquí también tiene influencia. Hasta ahora me las he arreglado para que me considerasen útil, pero creo que se me ha acabado la buena suerte. No sé. Creo que lo único que podría intentar es ganarme el respeto de la gente de la Cordillera, simplemente para equilibrar fuerzas. Eso no garantizaría nuestra seguridad aquí pero, al menos, podríamos tratar de construir una casa en otro sitio sin que nadie intente echarla abajo.

—Muy bien. ¿Qué hemos de hacer para ganarnos su respeto?

—¿El de esa gente? —Bran dejó escapar una carcajada—. Sólo les impresiona la fuerza bruta. Tendríamos que matar al mismo Carnicero para hacerlos pestañear.

—De acuerdo. ¿Qué es ese Carnicero?

Bran se volvió hacia ella como si lo hubiesen pinchado.

—¿¡Qué!? No lo decía en serio, Ahriel. El Carnicero es el engendro más trastornado y salvaje que jamás haya pisado Gorlian. Nadie se atreve a enfrentarse a él. Tiene cinco cabezas, óyeme bien, cinco, todas ellas llenas de dientes, y...

—Pero debemos intentarlo —lo interrumpió Ahriel; dio media vuelta y comenzó a caminar—. ¿No eras tú el de: «Somos grandes y nada podrá pararnos ahora»?

Bran la siguió, hablando muy deprisa y haciendo aspavientos.

—... ¿Te he hablado de sus garras? Cuatro, tiene cuatro, y despedazan y trituran como ninguna cosa que hayas visto antes. Ese bicho no sufre, disfruta matando, y si quieres ser su próxima víctima, allá tú, porque yo... ¿no me estás escuchando?

Bran se detuvo en seco y vio cómo ella seguía andando.

—¡Ya no quiero ser tu socio! —le gritó—. ¿Me oyes? ¡Tu compañía no es buena para mi salud!

Ahriel le hizo un gesto de despedida, pero no se detuvo.

—Oh, está bien —dijo Bran finalmente—. Olvidaba que te gusta matar engendros. Además, creo que te hará falta alguien que piense un poco...

VIII

hriel aguardó, quieta como una estatua de mármol, con la lanza en alto y los pies clavados en el fango, que le llegaba por encima de los tobillos. Detectó una leve ondulación en la superficie del lodazal, pero no se movió. Sólo cuando la onda se repitió, un poco más cerca, descargó la lanza sobre ella, rápida, certera y letal. Sacó entonces el arma del fango y observó con aire crítico lo que se agitaba en su extremo: un pez del fango, ciego, viscoso y extremadamente feo, pero más o menos comestible. Ahriel esperó a que dejara de moverse y entonces lo arrojó al morral abierto, donde se amontonaba media docena más de peces de similar tamaño. Respiró hondo y se apartó el cabello de la cara. Por un instante fugaz recordó la época en que su melena negra resplandecía como el azabache, peinada en multitud de pequeñas trenzas que ella cuidaba con mimo, rehaciendo cada mañana. Apartó aquellos pensamientos de su mente. Su pelo estaba ahora casi siempre sucio y enmarañado y, por supuesto, no tenía tiempo ni medios para hacerse un peinado más sofisticado que la gruesa y tosca trenza que le colgaba siempre medio deshecha por la espalda.

La niebla no dejaba pasar los rayos del sol aquella mañana, pero Ahriel sabía que ya era casi mediodía. Con un suspiro, salió del barrizal y recogió su morral. No se molestó en quitarse el fango de los pies mientras volvía a internarse por los riscos de la Cordillera. Sabía que se resecaría y terminaría por caer solo.

Tardó un par de horas en divisar la columna de humo que señalaba el lugar donde se alzaba su nuevo hogar. Ahriel sonrió. El fuego estaba encendido y Bran estaba en casa. No era una casa muy grande, ni muy lujosa, pero el ángel había aprendido a apreciarla con el paso de los meses. A veces llegaba a pensar que no echaba de menos su vida en el palacio real de Karishia, o en la bella y radiante Ciudad de las Nubes, donde habitaban los demás ángeles. La cabaña que compartía con Bran era pequeña, incómoda y maloliente, pero era suya. Al igual que su vida.

Hacía ya casi un año que vivía en Gorlian, y por primera vez estaba empezando a notar que su corazón se iba aligerando de un peso que siempre había estado ahí, pero que ella no había percibido hasta entonces. Hacía mucho que ya no pensaba en Marla, y casi había llegado a acostumbrarse a la idea de que no saldría nunca de allí. «¿Para qué?», se preguntó. «Nunca he podido pensar por mí misma. Siempre debía hacer lo correcto y no lo que yo quería. Siempre tenía que anteponer la vida de mi protegida a la mía propia. Aquí, en cambio, sólo debo cuidar de mí misma. Mi vida es mía.»

No era la primera vez que tenía aquellos pensamientos, pero sí fue aquélla la primera ocasión en que no trataba de reprimirlos.

La cabaña apareció finalmente ante sus ojos. La habían construido con los escasos materiales que había a su alcance, aprovechando una abertura en la cara de la montaña, lo cual la resguardaba mejor del viento y la lluvia. Ante la puerta, clavado sobre una estaca, estaba uno de los cráneos del Carnicero. Ahriel sonrió al verlo. Después de matar al engendro que aterrorizaba a toda la Cordillera mediante una ingeniosa trampa ideada por Bran, el humano se había empeñado en colocar ahí una de las cabezas, para que sirviese de advertencia a los extraños. Ahriel había discutido acaloradamente la cuestión. Estaba convencida de que no aguantaría por mucho tiempo el olor que despedía aquella cosa.

Pero resultó que Bran tenía razón. Cualquiera que se acercase a la cabaña veía la cabeza y se lo pensaba dos veces antes de meterse con las personas que habían acabado con el Carnicero. Era simple, primitivo y brutal, pero funcionaba. Y, con el tiempo, la misma Ahriel había acabado por acostumbrarse a aquella cabeza que se descomponía en la puerta de su casa.

Ahora, la cabeza del Carnicero no era más que un cráneo amarillento y pelado. Continuaba infundiendo respeto en los extraños, pero los habitantes de la casa ya lo veían como una parte más de la decoración, y apenas se fijaban en él, ni en sus enormes colmillos descarnados.

El ángel entró en la cabaña, pero no vio a Bran por ninguna parte. Sin embargo, no debía de andar lejos, puesto que se había dejado el fuego encendido. Encogiéndose de hombros, Ahriel se sentó en la puerta de la cabaña con un odre de agua pardusca y comenzó a limpiar los peces con ayuda de su daga.

—¿Ya de vuelta? —dijo una voz junto a ella.

Ahriel dio un respingo. Bran estaba a su lado, acuclillado sobre la enorme roca plana que aseguraba la pared oeste de la cabaña, mirándola con un brillo malicioso en los ojos.

—¿Dónde estabas?

—Se me había roto el pedernal, y he ido a buscar otro. ¿Por qué pones esa cara? Ya deberías estar acostumbrada a no oírme llegar. Sabes que siempre te sorprendo.

—Porque trepas como un mono y te subes a los sitios más insospechados. ¿De dónde vienes? ¿Te has descolgado por el tejado desde la cima?

Bran se sentó junto a ella y hurgó en su morral.

—¿Siete peces del fango? A ver si lo adivino... hoy toca sopa de pescado. Igual que ayer, y que anteayer...

—No esperarías una pierna de cordero... Ve a calentar agua para el puchero, anda.

—Muy bien, pero antes escucha lo que tengo que contarte. Me he enterado de que Yuba, Ranko y Tora se reunieron anoche. Esos tres traman algo, alitas. Y no puede ser nada bueno.

—¿Por qué tienes que ser tan retorcido? Puede que por una vez hayan decidido pactar una tregua y dejar de mandar a sus hombres a matarse entre sí.

—¿Ese trío de cabezas huecas? —Bran sacudió la cabeza con incredulidad—. Créeme, sólo unirían sus fuerzas si oliesen sangre fresca.

—¿Y a ti quién te ha contado eso de la reunión?

—Regon; me debía un favor, así que le dije que me avisara si notaba movimiento en el campamento de Yuba.

—¿Y te fías de ese gusano embaucador?

—No; por eso me acerqué a espiar, para ver si decía la verdad. Y tenía razón, Ahriel. Nunca había visto tanta gente allí. Es como si todos los habitantes de la Cordillera hubiesen decidido celebrar la misma fiesta todos a la vez.

—¿Quieres decir que tal vez han decidido atacar al Rey de la Ciénaga?

—Eso fue lo que pensé. No es la primera vez que alguien tiene la brillante idea de comenzar una guerra de territorios. Pero ya deberían haber aprendido que cuatro pandillas de brutos desharrapados, por mucho que unan sus fuerzas, no tienen nada que hacer contra la organizada corte del Rey de la Ciénaga.

—Entonces, ¿qué es lo que te preocupa?

—Que yo haya tenido que enterarme por un gusano embaucador que me debía un favor.

—Y eso te ha herido en tu orgullo, ¿eh?

—¡No hablamos de mi orgullo! —replicó Bran ferozmente—. Seamos lógicos: si quieres iniciar una guerra contra el Rey de la Ciénaga, ¿dejarías de lado a dos tipos que, por muy mal que te caigan, acabaron con la Culebra y el Carnicero y tienen una daga?

Ahriel admitió que tenía razón, pero no dejó de sonreír para sus adentros. Dijera lo que dijese, a Bran le había dolido que lo ignoraran.

—Está bien —dijo suavemente—. ¿Qué propones que hagamos?

—¡Diablos, no lo sé! Reconozco que estoy desconcertado —sacudió la cabeza y, levantándose de un salto, concluyó—. Voy a calentar agua para el puchero.

Ahriel asintió, pero no dijo nada. Continuó limpiando el pescado mientras Bran entraba en la cabaña.

El humano siempre andaba revolviendo entre unos y otros, asegurándose de que siempre sabía más que nadie de lo que se cocía en todas las pandillas de la Cordillera. Tras haber escapado del Rey de la Ciénaga y haber acabado con el Carnicero, Ahriel y Bran se habían ganado el respeto de casi todos, pero el joven no podía evitar seguir estando al tanto de lo que sucedía, por si acaso. Y más de una vez eso les había salvado la vida. Porque, pese a que Ahriel hubiese preferido vivir tranquilamente y dedicarse a hacer su estancia en Gorlian lo más cómoda posible, sin meterse con nadie, lo cierto era que el Rey de la Ciénaga no había olvidado el agravio, y de vez en cuando todavía trataba de librarse de ellos. En ese sentido, los contactos que Bran tenía por todas partes habían resultado vitales para su supervivencia en más de una ocasión.

Ahriel terminó de limpiar los peces y los echó en un recipiente de barro. Se dio la vuelta para entrar en la cabaña, pero chocó con Bran, que salía, y los peces cayeron al suelo.

—Vaya, lo siento —dijo él; los dos se inclinaron para recoger el pescado, y volvieron a chocar—. Hoy estoy especialmente patoso. Sólo salía a decirte que el agua ya hierve.

Ahriel sonrió. Entre los dos recogieron los peces, sin una palabra. Las manos de ambos se rozaron cuando fueron a coger el mismo pescado, y Ahriel se estremeció. Bran la miró.

—Ahriel...

Ella rehuyó su mirada. Terminó de recoger los peces y se levantó precipitadamente.

—Tengo que...

Pero él no la dejó marchar. La retuvo por el brazo.

—Espera, Ahriel. Tenemos que hablar.

—Este no es un buen momento...

—Para ti nunca lo es. Escucha, Ahriel. Hace mucho que somos comp... socios —se corrigió—.

Vivimos juntos porque nos costó mucho construir una sola cabaña, y no nos sentíamos con ánimos para levantar otra más. Dijimos que sería como nuestra... eh... base de operaciones. Pero...

Bran inspiró hondo. Ahriel notó que había preparado aquel discurso hacía mucho tiempo y, por un confuso momento, deseó que se callase y que siguiese hablando.

—¿Qué es lo que quieres? —lo interrumpió con dureza—. No me vengas con el cuento de que te has enamorado de mí.

Bran se separó un poco de ella y la miró con una intensidad que la hizo vacilar.

—¿Y qué si así fuera?

—Sabes que no es verdad. No es posible. Tú eres humano, y yo soy un ángel.

Bran suspiró, exasperado.

—Ya vuelves otra vez con lo mismo. No somos tan diferentes. Yo no tengo alas, es verdad, pero da igual, porque de todas formas tú no puedes volar.

Fue como si le hubiese dado una bofetada. Ahriel retrocedió y le dirigió una mirada dolida.

—Lo... lo siento, Ahriel —tartamudeó Bran—. Sé que no te gusta que te recuerden que...

Que llevaba un año sin despegar los pies del suelo, se dijo a sí misma Ahriel, con amargura.

—No es culpa tuya —murmuró.

Nuevamente trató de alejarse de él, pero Bran la retuvo junto a sí. Volvieron a mirarse.

—Básicamente —dijo Bran—, lo que llevo tiempo intentando decirte, Ahriel, es que, después de tanto tiempo siendo comp... socios, he estado pensando que... —se calló de pronto, perdido en la mirada de los ojos del ángel—. ¡Qué diablos! —exclamó, sacudiendo la cabeza—. Lo que quería decirte es que te quiero, Ahriel.

Ella abrió la boca para protestar, pero Bran eligió aquel momento para besarla, y Ahriel se quedó tan sorprendida que no pudo hacer nada al respecto. Cuando se separaron, el corazón del ángel latía desbocado, y ella estaba tan aterrorizada que no pudo pronunciar palabra.

—¿Qué... qué me has hecho?

—¿Nunca te habían besado?

—N... no.

Lo miró de reojo y sintió que se ruborizaba intensamente; algo en su interior ardía como un volcán, y aquellas emociones tan difíciles de controlar la confundían y la asustaban. Notó que tenía los ojos húmedos, y parpadeó para contener las lágrimas. No tenía muy claro qué era lo que quería o necesitaba, pero Bran parecía saberlo mejor que ella, porque la abrazó, y todo su ser agradeció aquel gesto. Ahriel cerró los ojos y apoyó la cabeza en el hombro del humano.

—¿Qué me está pasando? —murmuró.

—Probablemente, lo mismo que a mí —respondió Bran con voz ronca.

Se quedaron un momento así, abrazados, hasta que algo obligó a Ahriel a abrir los ojos, sobresaltada.

Bran le estaba acariciando las alas.

—¿Qué estás haciendo? —dijo, con una nota de pánico en su voz.

La mano de Bran se detuvo.

—Lo siento. Había olvidado que lo detestas. Me parecían tan suaves...

—¿Suaves? —repitió ella, desconsolada, recordando tiempos pasados—. Están sucias, caídas y encrespadas. No son bonitas.

—Son preciosas, Ahriel —aseguró Bran—. Pero no volveré a tocarlas si no quieres.

Ahriel calló un momento.

—No —dijo finalmente—. Puedes hacerlo. Pero con cuidado.

Bran rozó las plumas de sus alas con tanta ternura que Ahriel se estremeció entera.

—¿Te molesta?

—No. Me gusta —añadió, sorprendida.

Bran se separó un poco de ella para mirarla a los ojos, y sonrió.

Ahriel también sonrió.

Los días siguientes fueron muy confusos para Ahriel. Aquel torrente de emociones que la inundaba por dentro parecía haber acallado completamente la voz de su conciencia, que era también la voz de lo que sus mayores le habían enseñado desde su nacimiento.

Los ángeles no amaban, porque aquel tipo de emociones hacían que perdiesen objetividad.

Y, por descontado, los ángeles no amaban a los humanos.

Pero allí, en Gorlian, con Bran, todo aquello parecía haber quedado muy atrás. Ahriel llevaba tanto tiempo sin poder utilizar las alas que se había acostumbrado a ver las cosas a ras de suelo, como hacían los humanos.

Y, por el momento, sólo podía ver a Bran.

Día a día, Ahriel iba explorando poco a poco la infinidad de matices que poseía aquel sentimiento que hasta entonces le había estado vedado. Se sentía como una niña tímida e insegura, y había descubierto que llegaba a gustarle aquella sensación. Nunca había cerrado los ojos para dejarse llevar de aquella manera, pero ahora lo estaba haciendo, y sentía que, aunque quisiera, no tendría poder para obrar de otro modo.

Pero una mañana se despertó y vio a Bran dormido junto a ella, y recordó lo que había sucedido la noche anterior. Y una oleada de miedo y vergüenza la desbordó, ocultando las emociones que habían gobernado su vida en los últimos días, convirtiéndola en un bote solitario a merced de la tormenta.

Se levantó de un salto y buscó sus ropas. No se atrevió a mirar a Bran en ningún momento.

El joven despertó cuando ella ya estaba en la puerta.

—¿Ahriel? —murmuró, medio dormido—. ¿A dónde vas?

—Necesito estar sola —dijo ella—. Yo... lo siento. Adiós, Bran.

El humano percibió algo extraño en su voz, y se levantó de un salto.

—¡Espera, Ahriel! ¡No te vayas!

Salió a la puerta de la cabaña, olvidando que estaba completamente desnudo, y miró a su alrededor.

Ella ya se había ido.

Ahriel recorrió la Cordillera sin rumbo fijo, confusa y perdida. Sentía que, en algún lugar de su corazón, su amor por Bran seguía allí, aguardando a que ella volviese a buscarlo. Pero, por el momento, la voz de su conciencia sonaba más fuerte. De alguna manera, el ángel tenía la impresión de que había traspasado un límite que jamás habría debido cruzar.

—Pero yo le quiero —dijo en voz alta.

Una parte de su ser deseaba regresar corriendo a la cabaña, a buscar a Bran, y no separarse de él nunca más. La otra se encogía de miedo ante la sola idea de volver a verlo.

Al caer la tarde se encontró casualmente con el Loco Mac, que aporreaba el suelo rocoso con una piedra sin lograr arañar apenas la superficie.

—Estoy haciendo un pasadizo para escapar de aquí —le confió—. Aunque, ¿sabes lo que encontraré más abajo?

—No —dijo Ahriel en voz baja—. ¿Qué encontrarás?

—Más cristal.

—Entonces, ¿por qué lo haces?

—Para escapar de aquí.

Ahriel sabía por experiencia que no valía la pena tratar de hablar con él. Aunque a veces se enfurecía y atacaba a cualquiera que se le pusiese lo bastante cerca, la mayor parte de las veces se mostraba bastante amigable, si bien lo que decía solía carecer de sentido.

—No soy humana —le dijo, sin saber muy bien por qué.

—Yo tampoco —respondió el Loco Mac.

—Pero creo que tampoco soy un ángel. Ya no.

—Nadie lo es.

—Me he comportado como un ser humano durante demasiado tiempo. Ya no puedo ser objetiva. Pero, si no soy un ángel, pero tampoco soy humana, ¿qué soy?

El Loco Mac no respondió. Seguía golpeando la roca con fe inquebrantable.

Ahriel no quiso molestarlo más. Se alejó de allí en silencio, tratando de poner en orden sus caóticos sentimientos.

«Necesito saber quién soy», pensaba todavía cuando, horas más tarde, contemplaba el cielo encapotado, sentada sobre una enorme roca.

Sintió de pronto una súbita y apremiante necesidad de volver a ver a Bran, de hablar con él, de confesarle sus dudas y sus temores. Recordó que había salido por la mañana sin decirle a dónde iba, y estaba a punto de anochecer. Sin duda estaría preocupado.

Se levantó y se encaminó con presteza a la cabaña. Entonces empezó a llover torrencialmente, y Ahriel se apresuró. Su casa tenía goteras, y siempre era necesaria la colaboración de los dos para contenerlas. Imaginó a Bran tratando de taponar todas las grietas a la vez, y sonrió. Algo en su interior se rebeló contra la idea de abandonarlo para siempre. ¿Por qué?, dijo aquella vocecita sediciosa. A nadie en Gorlian iba a importarle. De hecho, desde el primer momento todos habían dado por sentado que ellos dos eran pareja. Y en cuanto a la gente del exterior... bueno, seguramente no volvería a verlos. Y tampoco debía de importarles demasiado a los demás ángeles, puesto que la habían dejado abandonada a su suerte en Gorlian.

Cuando se acercaba a la cabaña, sin embargo, oyó un grito que la hizo detenerse, horrorizada.

Era Bran.

Ahriel echó a correr, mientras la lluvia caía sin piedad sobre ella. Cuando llegó a la cabaña descubrió a un grupo de hombres rodeando a su amigo, que se doblaba sobre sí mismo a causa del dolor producido por el golpe que acababan de asestarle. Ahriel distinguió allí a Yuba y a otros dos guerreros que conocía; también había una mujer, pero no pudo identificarla porque estaba de espaldas a ella.

—¡Deteneos! —gritó, pero un trueno ahogó su voz.

Uno de los hombres tiró de Bran sin ningún miramiento hasta ponerlo en pie. Ahriel vio que Yuba alzaba el brazo. Su mano sostenía algo recto y alargado, acabado en punta.

—¡¡No!! —chilló el ángel.

Yuba descargó su arma sobre Bran, que gimió.

Cegada por la desesperación, Ahriel cayó sobre aquellos hombres desde la oscuridad. Su puñal encontró el modo de llegar hasta la espalda de Yuba, que se desplomó en el suelo, muerto. Algo rebotó sobre la roca con un sonido metálico. Ahriel lo miró, sin dar crédito a sus ojos.

Era una espada.

Se apresuró a recogerla del suelo. Miró a su alrededor, blandiéndola amenazadoramente. Los demás retrocedieron. Un relámpago iluminó el rostro de la mujer.

Se trataba de Gia.

—El Rey de la Ciénaga os quiere muertos —dijo—. Recuérdalo.

Ahriel no dijo nada. Se colocó frente al cuerpo de Bran, en ademán protector, sin dejar de mirar a los agresores. Ninguno de ellos llevaba espada.

—¿A qué esperáis? —dijo Gia—. ¡Atacad!

Los dos hombres alzaron sus garrotes y, con un grito salvaje, se abalanzaron sobre ella. Ahriel descubrió enseguida que no había perdido destreza en aquel tiempo: con un par de movimientos acabó con ellos.

—Antes no hacía esto —le aseguró a Gia—. Sólo mataba si era completamente necesario. Antes... en otro tiempo... los habría dejado inconscientes. Pero Bran...

Gia no se movió. Ahriel sintió que algo cálido le corría por la mejilla y comprobó, sorprendida, que era una lágrima.

—¿A qué esperas? —le gritó a la mujer, rabiosa—. ¡Atácame! ¡Atácame y correrás su misma suerte!

Gia sonrió.

—Estoy desarmada. Tú tienes mi espada. Se la dejé a Yuba para que acabase con tu amigo. Me lo pidió con tanta insistencia... No por Bran, pobre diablo. Es por la espada. ¿Sabes lo que daría cualquiera de esos desgraciados por dejar de pelear con garrotes?

Ahriel no la escuchó. Se arrojó sobre ella, ciega de ira y de dolor, pero Gia la esquivó hábilmente.

—Ahora no voy a pelear contigo. Pero volveremos a vernos...

Amparándose en las sombras producidas por las rocas y en la creciente oscuridad, favorecida por la lluvia, Gia desapareció.

Ahriel se quedó quieta sólo unos segundos. Después se inclinó sobre Bran y escudriñó su rostro, ansiosa.

—¿Bran?

Descubrió que todavía respiraba. Pero la herida era profunda, y probablemente le habría dañado algún órgano vital.

—Puedo curarte —le dijo—. No te preocupes, vas a ponerte bien.

—¿A... Ahriel? —dijo él con esfuerzo.

—Estoy aquí —el ángel sondeó el aura de Bran y descubrió, con horror, que la vida se le escapaba con demasiada rapidez y que, aunque iniciase el círculo de curación en aquel mismo momento, no llegaría a tiempo; se sintió tan abrumada por la pena que rompió a llorar—. Oh, Bran, siento tanto haberme marchado... No debería haber...

—No... llores, alitas —sonrió Bran con cansancio—. No es propio de ti. Tú... nunca... nunca lloras.

Ahriel se mordió el labio y colocó las manos sobre la herida de Bran, sin llegar a rozarla. Pese a que la lógica le decía que era inútil, que su amigo moriría de todas formas, comenzó a transferir energía curativa al cuerpo de él.

Bran alzó la mano para coger la de ella.

—Ha... ha sido bonito, ¿verdad? —dijo.

Ahriel se llevó la otra mano a los labios. De repente, no podía dejar de llorar. Y nunca antes, en toda su vida, había derramado una sola lágrima.

—Sí, Bran —sollozó.

—Yo... tenía razón. Tú y yo... somos iguales. Amas y lloras... igual... que yo.

—No hables, Bran. Descansa. Te pondrás bien.

—Y también... mientes —sonrió Bran

—Yo... nunca te lo he dicho, Bran, pero... también te quiero. Quería que lo supieras.

—Ya lo sabía —susurró Bran—. Tú y yo... Somos grandes. Y nada...

—... Nada podrá pararnos —concluyó ella, con un nudo en la garganta.

El cuerpo de Bran se estremeció un momento y después quedó inmóvil. Sus ojos sin vida dejaron de enfocar el rostro de Ahriel.

El ángel sintió que algo se desgarraba en su interior, algo que jamás podría ser reparado. Sabiendo que ni todas las lágrimas del mundo bastarían para expresar su dolor, gritó con toda la fuerza de sus pulmones mientras estrechaba el cuerpo de Bran entre sus brazos y lo envolvía amorosamente con sus alas, y la lluvia caía sobre los dos, inmisericorde.

No habría sabido decir cuánto tiempo permaneció allí, sollozando, abrazada a Bran. Pero, cuando levantó de nuevo la cabeza, su mirada se detuvo sobre la espada que había dejado en el suelo, y sus ojos relucieron con un brillo acerado.

Y decidió que, si había conocido el amor, también podía recorrer los caminos del odio.

IX

n los días siguientes corrió por la Ciénaga un inquietante rumor. Varios hombres y mujeres habían aparecido muertos, y nadie sabía quién era el responsable, porque nadie que lo hubiera visto había sobrevivido para contarlo. Al principio se barajó la posibilidad de que un nuevo engendro, especialmente violento, hubiese llegado a Gorlian y estuviese sembrando el terror entre sus habitantes. Pero los que habían visto los cuerpos de cerca habían llegado a la conclusión de que las heridas parecían estocadas, y los cortes eran demasiado limpios para haber sido producidos por garras o colmillos. Y los más avispados se percataron enseguida de que el asesino era un ser inteligente, pues el camino que llevaba, dejando una estela de muertos a su paso, lo conducía, directamente y sin lugar a dudas, a la corte del Rey de la Ciénaga.

El tirano se encontraba entre los pocos perspicaces que se dieron cuenta de esta circunstancia. Su intuición le decía, además, que, fuera lo que fuese aquello que se acercaba, había venido a buscarlo a él y, probablemente, al matar a aquellas personas no hacía sino eliminar obstáculos que interferían en su camino. En cuanto a la identidad del asesino, el Rey de la Ciénaga no podía sino especular. Tenía muchos enemigos, pero ninguno, que él supiera, tan letal.

En los días sucesivos envió a sus mejores hombres a detener a la muerte que se acercaba, pero ninguno de ellos regresó. Entretanto, protegió su corte con un buen destacamento de guardia, al mando del cual puso a Gia.

La mujer tenía sus propias sospechas al respecto, pero no dijo nada a nadie, porque la idea le parecía demasiado descabellada.

Finalmente, una tarde lluviosa, la muerte se presentó en la corte del Rey de la Ciénaga. Los guerreros de Gia cerraron filas en torno a la montaña donde estaba situada la morada de su líder, blandiendo las nuevas armas que éste les había proporcionado, y que, pese a ello, no estaban al alcance de todos. Dagas, espadas, hachas y sables relucieron a la luz de las antorchas, preparadas para recibir a la figura alta que avanzaba a través del lodazal con la misma seguridad que si pisase una calzada empedrada.

El recién llegado no se inmutó. Sacó su propia espada, y las sospechas de Gia se confirmaron.

Atacaron todos a la vez, pero lo cierto era que pocos de ellos sabían realmente manejar una espada. Su contrincante, en cambio, era un experto, y se movía con mucha más seguridad y convicción que ellos. Algunos arrojaron sus armas y huyeron. Otros cayeron heridos o muertos. Al final, no quedó nadie en pie.

Excepto Gia.

Cuando el recién llegado se disponía a subir por el empinado camino que conducía a la entrada, la mujer le cerró el paso.

—Volvemos a vernos, Ahriel —dijo con voz neutra.

El intruso alzó la cabeza. Gia entrevió su rostro a la débil luz que emergía de la entrada de la caverna, y a duras penas pudo disimular su sorpresa.

Era Ahriel, pero estaba muy cambiada. El cabello, sucio y encrespado, enmarcaba un rostro que antaño había sido puro y frío como el mármol, pero que ahora era una máscara de odio. Y sus ojos...

—No voy a dejarte pasar —dijo Gia resueltamente; pero algo en su interior se estremecía de terror.

—Entonces tendré que matarte —replicó Ahriel, impávida.

Descargó la espada contra su oponente; Gia alzó su arma para detener el golpe, y los dos aceros chocaron sobre ellas.

La lucha fue intensa, pero breve. Gia había aprendido a luchar con espada tiempo atrás, antes de llegar a Gorlian, pero no era rival para Ahriel. Pronto, el arma de la mujer cayó al suelo, y ella se vio acorralada contra la pared rocosa, con el filo de la espada del ángel rozándole el cuello.

—Explícate —dijo solamente.

Gia se mordió el labio inferior.

—¿Te refieres a...?

—Me refiero a todo. ¿De dónde salen las armas? ¿Por qué las tiene el Rey de la Ciénaga?

—¿Por qué no se lo preguntas a él?

—Porque no voy a esperar a escuchar sus respuestas. Habla, Gia. Cuanto más hables, más tiempo vivirás.

Gia respiró hondo.

—Te has equivocado de bando, Ahriel. Deberías haberte unido a nosotros. El rey...

La espada se clavó un poco más en su piel, y Gia jadeó.

—Las armas —repitió Ahriel impasible.

—No... lo sé —murmuró ella—. Hay alguien que trafica con ellas. Se las vende al Rey de la Ciénaga.

—¿Quién?

—No... no tengo ni idea. Nadie lo conoce, excepto el rey.

—¿Y qué obtiene ese traficante a cambio de las armas?

—Tampoco lo sé.

—Las bandas de la Cordillera se unieron para matarnos a Bran y a mí, ¿verdad? Les prometisteis armas a cambio de nuestros cadáveres.

—Les prometimos que les daríamos armas para mataros —confesó Gia; gruesas gotas de sudor perlaban su frente—. Aun así, no se atrevían a enfrentarse a vosotros, de modo que recluté a algunos hombres...

—Ratas cobardes —corrigió Ahriel con un gruñido—. Nos vigilabais, ¿verdad? Esperasteis a que yo me alejara de la cabaña.

Gia no dijo nada. Algo en la mirada de Ahriel le decía que no sería una buena idea mencionar a Bran, de manera que no lo hizo.

Ahriel agarró a Gia por el brazo y la arrojó al suelo, lejos de sí. Ella se incorporó un poco y miró a su alrededor en busca de una vía de escape. Pero Ahriel bloqueaba la entrada del corredor, y sólo podía avanzar hacia el interior de la corte que, como ella sabía muy bien, no tenía más que un acceso.

—Tú has matado a todas esas personas —susurró Gia—. Se supone que eres un ángel, no puedes...

—No —cortó Ahriel—. Te equivocas. No soy un ángel. Y ahora —la apuntó de nuevo con la espada; el extremo del arma rozó el pecho de Gia—, ve al Rey de la Ciénaga y dile que Ahriel lo quiere muerto. Recuérdalo.

Gia se levantó a duras penas y echó a andar por el corredor, sintiendo que la mirada de Ahriel le quemaba en la nuca.

Encontró la corte completamente desierta, y se le encogió el estómago. Todos habían huido o habían sido asesinados por Ahriel. Pero ella sabía que el Rey de la Ciénaga seguía allí, porque Ahriel había ido a buscarlo a aquel lugar.

Cuando entró en la sala del trono, sus sospechas se confirmaron; al fondo, sentado entre las sombras, como acostumbraba, se hallaba la oscura figura del Rey de la Ciénaga.

—Señor —dijo Gia, inclinándose ante él—. Ahriel está aquí.

—Gia —respondió él con voz gutural—. ¿Se han ido todos?

—Sí, mi señor.

—¿Por qué te has quedado?

Gia vaciló. Podría haberle dicho que creía en él; que, a pesar de sus métodos autoritarios y a menudo brutales, su sistema hacía funcionar la Ciénaga, y ella necesitaba el orden y la seguridad que sólo aquella corte podía darle en el salvaje mundo de Gorlian.

Podría haberle dicho todo esto, pero no lo hizo.

—Me ha enviado a comunicaros un... mensaje.

—¿De veras?

—Sí, señor. Ha dicho... «Dile al Rey de la Ciénaga que Ahriel lo quiere muerto.»

Se encogió sobre sí misma, esperando un estallido de ira, pero la reacción de su señor la sorprendió. Primero lo vio convulsionarse silenciosamente, y después oyó un curioso sonido parecido a un gorgoteo. Tardó un poco en darse cuenta de que el Rey de la Ciénaga se estaba riendo.

—¿Eso ha dicho? —dijo finalmente el monarca—. No sabía que los ángeles tuviesen ese sentido del humor tan peculiar.

—Con... todos mis respetos, señor... me parece que no era una broma. Yo...

Calló de pronto, porque algo la atravesó por la espalda, produciéndole un profundo dolor. Se le nubló la vista y cayó al suelo. Lo último que oyó fue la voz fría y acerada de Ahriel:

—Tengo otro mensaje para ti, Gia: Bran te quiere muerta.

El Rey de la Ciénaga observó la escena desde su trono, sin inmutarse. Ahriel alzó la mirada hacia él.

—He venido a matarte —dijo solamente.

—¿En serio? ¿Y por qué? ¿Por Bran? ¿Crees que es justo que toda mi gente haya tenido que pagar por la muerte de una sabandija?

Ahriel entrecerró los ojos peligrosamente.

—No me importa que no sea justo. Ya no creo en la justicia.

—Ah... De modo que actúas por venganza...

Ahriel no se molestó en responder. Blandió su espada y avanzó hacia el trono.

—¿Por qué no das la cara, rey de pacotilla?

La figura del trono se convulsionó de nuevo.

—¿De veras quieres verme la cara, Ahriel? —rió.

Se levantó de su asiento y avanzó hacia la luz. Ahriel descubrió entonces que caminaba de manera peculiar, como a pequeños saltos, y que era extraordinariamente grueso. Entonces él alzó una mano deforme para retirarse la capucha, y de pronto Ahriel no quiso ver lo que se ocultaba debajo.

Pero ya era demasiado tarde. Ahriel no pudo reprimir una exclamación de sorpresa, asco y horror.

El Rey de la Ciénaga era un enorme sapo verrugoso. Su piel, del mismo color que el barro de la Ciénaga, era blanda y viscosa. Sobre la cabeza llevaba una especie de corona hecha con ramas trenzadas de árbol del fango.

Sus ojos saltones miraron a Ahriel como si se estuviesen riendo de ella.

—¿Sorprendida?

—¡Eres un engendro!

—Gracias —dijo el sapo—, pero lo cierto es que tengo poco que ver con esas pobres bestias contrahechas y atormentadas. Como habrás podido comprobar, soy un ser inteligente.

—No me digas —replicó Ahriel con sarcasmo—. Inteligente o no, eres un engendro al fin y al cabo, y supongo que ya sabes lo que hago con las criaturas como tú.

—Un motivo más para matarme, ¿no?

Ahriel no respondió. Alzó la espada y arremetió contra él, pero el sapo, de un poderoso salto, se plantó lejos de su alcance. Ahriel se volvió hacia él, dispuesta a intentarlo de nuevo. Pero el Rey de la Ciénaga abrió su enorme boca sin labios y lanzó hacia ella algo rojizo y pegajoso, parecido a una serpiente. Cuando Ahriel comprendió de qué se trataba, ya era demasiado tarde: el Rey de la Ciénaga había enroscado su larguísima lengua en torno a ella, y la atraía hacia sí.

Ahriel se debatió, furiosa, tratando de librarse del viscoso abrazo y evitando mirar la boca abierta del engendro. Pero la lengua del Rey de la Ciénaga le inmovilizaba los brazos, y no podía utilizar la espada.

El Rey de la Ciénaga rió y tiró un poco más, abriendo la boca al máximo para tragarse a Ahriel. Ella, sin embargo, no estaba asustada; la ira bullía en su interior como un volcán en erupción, y en aquellos momentos no pensaba en el peligro que corría, sino en el odio que sentía hacia aquel ser monstruoso que había ordenado la muerte de Bran y que, por si fuera poco, pretendía comérsela a ella también.

Haciendo acopio de todas sus fuerzas, Ahriel saltó hacia el Rey de la Ciénaga con los pies por delante, y logró golpear uno de los ojos bulbosos. La criatura rugió de dolor; Ahriel no se detuvo a pensar que, tiempo atrás, jamás habría tratado de cegar a su oponente, porque ella creía en la lucha limpia y leal.

Pero eso había sido mucho tiempo atrás. Las cosas habían cambiado, el mundo había cambiado, y Ahriel había cambiado con él.

Saltó de nuevo y consiguió encaramarse sobre la cabeza del Rey de la Ciénaga, que trató de sacársela de encima, saltando de un lado para otro, intentando aplastarla contra el techo de la caverna. Ella clavó los talones en la resbaladiza piel del sapo; teniendo en cuenta que tenía los brazos inmovilizados, aguantó bastante bien. El Rey de la Ciénaga tiró de ella con más fuerza, pero Ahriel logró liberar sus brazos del asfixiante lazo y alzó la espada sobre él. El sapo rodeó la cintura del ángel con la lengua y consiguió sacarla de su espalda, arrojándola al suelo, frente a sí. La espada cayó cerca de ella.

—Es inútil —gorgoteó, mientras Ahriel tanteaba a su alrededor, tratando de recuperar su espada—. Vas a morir.

Saltó sobre ella, pero Ahriel rodó hacia la derecha y cogió la espada.

La levantó justo a tiempo.

Con un desagradable sonido, el Rey de la Ciénaga cayó sobre la espada erecta, que abrió un enorme tajo en su barriga resbaladiza.

El sapo cayó a un lado; de su garganta salió un sonido ronco. Giró sus globos oculares hacia Ahriel.

Ella se alzaba junto a él, serena e impasible.

—¿De dónde sacas las armas? —quiso saber—. ¿Quién te las proporciona, y a cambio de qué?

—Mi creador —jadeó el Rey de la Ciénaga—. Él me da las armas para que pueda gobernar sobre Gorlian.

—No te creo —le espetó Ahriel—. ¿Por qué iba nadie a preocuparse por algo como tú?

—Porque yo soy la más perfecta de sus creaciones. Soy el único que posee inteligencia... y algo parecido a un alma.

—¿Por qué estás aquí, entonces?

—Porque éste es mi hogar. Y, por más que lo intentes, nunca será el tuyo.

Ahriel hizo caso omiso de sus palabras.

—¿Quién te creó? —exigió saber—. ¿Fueron los mismos que arrojan a Gorlian los desechos de sus experimentos? ¿Esos que practican magia prohibida?

El Rey de la Ciénaga rió, y su risa sonó como un extraño borboteo. Ahriel blandió la espada sobre él.

—¡Habla o morirás!

—Voy a morir de todas formas —susurró el Rey de la Ciénaga—. Como ese gusano de Bran, ¿verdad?

Ahriel descargó la espada sobre él y la hundió en su cuerpo verrugoso con todas sus fuerzas. El Rey de la Ciénaga abrió al máximo sus ojos saltones y dejó escapar un último jadeo.

Ahriel se quedó quieta junto a él, mirando al engendro con semblante ausente e inexpresivo. Entonces, lentamente, se agachó y recogió la tosca corona de ramas que se le había caído al Rey de la Ciénaga durante su enfrentamiento. Después, dio media vuelta y, arrastrando tras de sí el cuerpo del engendro, salió de la sala.

Avanzó por la corte desierta sin pensar en nada. Por fin había vengado a Bran. Todos los responsables de su muerte habían sido eliminados.

Pero no se sintió mejor por ello. Sólo mucho más cansada y extrañamente vacía, como si la muerte del Rey de la Ciénaga hubiese acabado con sus deseos de vivir.

Cuando salió al aire libre, se detuvo un momento en la entrada de la caverna que había sido la corte del Rey de la Ciénaga y miró a su alrededor.

Todavía llovía. Varios presos de Gorlian seguían allí, chapoteando en el barro. Algunos regresaban tras haber huido al verla. Otros acababan de recobrar el conocimiento y se incorporaban, desconcertados.

Pero todos, sin excepción, alzaron la mirada hacia ella cuando percibieron su presencia. Ahriel levantó los brazos, y todos vieron que sostenía en alto el cadáver del Rey de la Ciénaga, que ahora parecía un pellejo húmedo y desinflado bajo la lluvia. Un relámpago iluminó la figura del ángel mostrando su presa a los antiguos súbditos del engendro, y muchos de ellos no pudieron reprimir un estremecimiento. En ese momento, Ahriel arrojó el cuerpo al lodazal, y el Rey de la Ciénaga cayó sobre el fango con un sonoro chapoteo. Nadie se atrevió a pronunciar una sola palabra. Allí, en lo alto de la colina, bajo la lluvia, Ahriel presentaba un aspecto temible y amenazador.

Entonces, lentamente, alzó la otra mano y colocó sobre su propia cabeza la corona del soberano del fango.

—Ahora —dijo en voz alta para que todos la oyeran—, yo soy la Reina de la Ciénaga.

X

l gato negro era uno de los tugurios más populares de los bajos fondos de Karishia. Allí se reunía todo tipo de gente de baja calaña y mal vivir cuando se ponía el sol. Tiempo atrás, los dueños de la taberna se habían visto obligados a llevar su negocio con mucha más discreción, siempre pendientes de las frecuentes inspecciones que se realizaban por parte de la justicia, promovidas por el ángel de la reina Marla.

Aquella época había quedado muy atrás. En apenas unos meses, todo Karish se había sumido en una brutal guerra contra Saria, el reino vecino. La reina había dejado de preocuparse por lo que sucedía en la capital de su dominio. Las últimas noticias afirmaban que sus tropas habían llegado al mismísimo palacio real de Saria, y habían hecho preso al rey Ravard.

Estas circunstancias favorecían el florecimiento de establecimientos como *El gato negro*. Era cierto que el número de clientes había menguado, ya que algunos de ellos se habían unido al ejército de la reina Marla; pero por otro lado, la mayoría de ellos se habían quedado, y no sólo visitaban el antro más a menudo, sino que pasaban más tiempo allí, con la certeza de que podían emborracharse, jugar a los dados, montar trifulcas y dedicarse a negocios bastante menos honrados sin que apareciese ningún representante de la justicia para aguarles la fiesta.

La persona que entró aquella noche en la taberna, cojeando, conocía muy bien el lugar. Por eso se detuvo un momento a la entrada, echando un vistazo a la alta e imponente figura que parecía guardar la puerta. No pudo ver gran cosa, dado que todo él estaba envuelto en una amplia capa, y su rostro quedaba totalmente oculto por la capucha.

—No sabía que el tabernero había contratado a un portero —comentó.

—Yo no trabajo aquí —fue la respuesta; la voz que había salido de las profundidades de la capucha era clara y serena, pero su tono era frío e impasible.

El recién llegado se encogió de hombros y, arrastrando su pierna lisiada, entró en el recinto. Localizó inmediatamente a las personas con las que se había citado porque llamaban poderosamente la atención. Se habían sentado en un rincón, tratando de retraerse de las miradas indiscretas, pero era inevitable fijarse en ellos. La capa raída del muchacho no ocultaba sus coloridas ropas, y la joven, aunque se cubría el rostro con una capucha, había cruzado sobre la mesa unas manos blancas, finas y aristocráticas. Era evidente que, si seguían con vida, se debía a que habían pagado una buena suma al tabernero. Además, también era muy posible que el encapuchado de la puerta fuera una especie de guardaespaldas. Y cualquiera se lo pensaría dos veces antes de enfrentarse a él.

Se abrió paso a través del local hasta llegar a la mesa de la llamativa pareja. Sin saludar siquiera se sentó ante ellos. La joven lo miró con disgusto.

—Soy Tobin —dijo el recién llegado, con una torva sonrisa.

—No voy a preguntarte cómo sabías que éramos nosotros —dijo el muchacho, echando una mirada a su alrededor—. ¿No podías habernos citado en un lugar más discreto?

—Este es uno de los pocos lugares seguros para vosotros en todo Karish —aseguró Tobin; bajó la voz al añadir—. Aquí a nadie le importa si sois o no sarianos.

La muchacha lanzó una breve exclamación consternada.

—Pero —añadió Tobin— eso no significa que no debáis ocultar vuestra identidad. Está claro que sois gente noble.

—Yo soy Kendal —se presentó el joven.

—Un bardo —comentó Tobin, echando una mirada crítica a sus ropas.

—No hemos tenido tiempo para buscar un atuendo menos llamativo. Las tropas de la reina Marla tomaron el palacio real hace apenas tres días. Era necesario poner a salvo a la dama Sabina.

—Ya. Y por eso la has traído al corazón del reino enemigo...

—Sé cuidarme sola —intervino Sabina con frialdad—. Marla nunca me buscaría aquí.

—Pero es más fácil que os encuentre, señora —replicó Tobin, impasible—. Si sois, como imagino, una dama de alta cuna, deberíais buscar refugio en algún monasterio en lugar de acudir aquí a jugar a ser heroína.

El rostro de Sabina enrojeció de ira, pero ella se limitó a dirigirle una mirada altanera y no dijo nada.

—En principio, yo debía acudir a la cita solo —reconoció Kendal—, pero los acontecimientos se precipitaron. Al caer Saria y ser apresado el rey, lo único que se me ocurrió fue traer conmigo a la dama Sabina. Si tus noticias son ciertas, el viaje no habrá sido en balde.

—¿Es verdad lo que dice Kendal? —preguntó Sabina—. ¿Es cierto que Ahriel sigue viva?

Tobin asintió.

—¿Por qué os interesa tanto contactar con el ángel de la reina Marla?

—Ahriel es poderosa —explicó Kendal, frunciendo el ceño—, y todavía lucha por la justicia. Sé que ya no apoya a la reina Marla.

—Ella conoce bien a Marla —añadió Sabina—. Si se uniese a nuestra causa...

—Deduzco que el resto de la aristocracia sariana no opina como vos —comentó Tobin—. ¿Me equivoco?

Sabina tardó un poco en responder.

—No —dijo finalmente.

—Y por eso habéis venido: para intentar rescatar al ángel, a quien imagináis presa en una horrible celda, en las mismas mazmorras donde ahora languidece el rey Ravard.

Sabina se estremeció casi imperceptiblemente al oír nombrar al rey, pero alzó la cabeza y clavó en Tobin una mirada serena.

—Exacto. Si además podemos rescatar a nuestro señor...

—Puede que tengáis razón en una cosa: si tenéis un plan lo bastante osado, tal vez lleguéis a rescatar al rey Ravard. Pero ya no lograréis llegar hasta el ángel.

Kendal palideció.

—¿Por qué? ¿Acaso nos has mentido y Ahriel está muerta?

Tobin negó con la cabeza.

—Creedme, está peor que muerta. La han encerrado en Gorlian.

Los sarianos callaron unos momentos, mientras asimilaban la noticia.

—He oído hablar de ese lugar —susurró entonces Sabina—. Cuentan cosas horribles.

—Sea lo que sea lo que hayáis oído, señora, no es nada comparado con la realidad. Veréis, llevo tiempo investigando sobre Gorlian, por motivos personales. No es una prisión al uso. Nadie ha escapado de ella jamás.

De nuevo reinó el silencio. Entonces Kendal dijo, tenso:

—Esto cambia las cosas. No puedo permitir que corráis ese riesgo, señora.

—Hay una manera, sin embargo —añadió Tobin.

Los dos se volvieron para mirarlo.

—Alguien debe quedarse fuera —explicó Tobin—, para volver a abrir la entrada después.

—No lo entiendo —dijo Sabina—. ¿No hay guardias?

—Como ya he dicho, no es una prisión corriente. Se trata de un lugar creado mediante la magia. No tiene puertas. No necesita guardianes. Ni siquiera existe en nuestro espacio físico.

—¿Qué... qué quieres decir?

—He averiguado que la entrada se encuentra en el mismo palacio de la reina Marla. Si de veras queréis intentarlo, podéis matar dos pájaros con la misma flecha: rescatar al rey Ravard y sacar al ángel de Gorlian.

—Haces que parezca muy sencillo —gruñó Kendal.

—Nunca he dicho que lo fuera, amigo. Pero sospecho que no habríais venido hasta aquí de no conocer un modo de entrar en el palacio. ¿Me equivoco?

Hubo un incómodo silencio.

—No —admitió Kendal a regañadientes.

—Está bien. Éste es el trato: vosotros me ayudáis a entrar en el palacio y, cuando tengáis a vuestro rey, intentaremos rescatar al ángel de Gorlian.

—¿Y qué ganas tú con todo esto?

—Eso es cierto —intervino Sabina—. ¿Por qué razón habría de ayudarnos un karishano?

—Como ya he dicho, estoy interesado en Gorlian por motivos personales. Si os ayudo a rescatar al rey y al ángel, espero obtener a cambio colaboración para sacar de ahí a alguien más.

—Comprendo —asintió Kendal—. Pero, aun así...

—La reina Marla no es santo de mi devoción —gruñó Tobin—. Aunque mi objetivo principal no es derrocarla, no lloraría su muerte, ¿entendéis?

—Estoy dispuesta a intentarlo —dijo entonces Sabina—. Esta misma noche.

—Pero, señora...

—No intentes disuadirme. No tenemos tiempo: Marla puede asesinar al rey en cualquier momento, o encerrarlo en Gorlian. No tenemos elección.

Kendal no respondió enseguida.

—Muy bien —dijo finalmente—. Pero a vuestro guardián no le va a gustar.

—Tampoco él puede hacer nada al respecto. Hoy cumplo dieciocho años: según las leyes de nuestro pueblo, ya estoy capacitada para decidir por mí misma.

—Es curioso —comentó Tobin.

—¿El qué?

—También hoy es el cumpleaños de la reina Marla, ¿no lo sabíais? Dieciocho, como la dama Sabina. ¡Qué coincidencia!

—Sí —farfulló Kendal—. Una curiosa coincidencia.

Aquella misma noche se deslizaron por el pasadizo secreto que llevaba hasta las mazmorras del palacio, y que Kendal había descubierto cuando, meses atrás, había escapado del calabozo en el que el capitán Kab y la reina Marla lo habían encerrado. Un momento antes de penetrar en las mazmorras, el bardo se giró para contemplar a su grupo. Tobin avanzaba despacio, cojeando por culpa de su pierna contrahecha. Tras él se hallaba la dama Sabina, que no había querido quedarse atrás. Junto a ella se alzaba el imponente guardián que no la dejaba ni a sol ni a sombra, y que todavía no había mostrado su rostro ni revelado su nombre a su contacto karishano. Kendal inspiró hondo. Tenía la sensación de que, en caso de que hubiera problemas, sólo el último miembro del grupo sería de alguna utilidad.

—Ahora, silencio. No queremos que los demás prisioneros armen un escándalo y alerten a los guardias.

—Yo me encargaré de eso —dijo el escolta de la dama Sabina.

—Yo sé dónde se encuentra el rey —intervino Tobin; cuando los otros tres lo miraron fijamente, añadió, con una sonrisa—. Soy lento de pies, pero no de mente. Tengo muchos contactos.

Se deslizaron en silencio por los corredores de las mazmorras. De vez en cuando, algún preso amodorrado se asomaba a los barrotes de su celda, pero una mirada del escolta de Sabina bastaba para hacer que retrocediese hasta las sombras. Tobin no dejó de preguntarse, inquieto, quién sería aquel misterioso individuo. Sospechaba que podía tratarse de un mago y, aunque era difícil encontrar auténticos hechiceros, en aquellos tiempos extraños nunca se sabía. Por si acaso, era mejor no cruzarse en su camino. Entre otras cosas, porque no podría escapar lo bastante rápido, se dijo a sí mismo con amargura.

Finalmente llegaron ante la puerta de la celda donde estaba encerrado el rey Ravard de Saria. El guardaespaldas se asomó un momento y dijo, con voz inexpresiva:

—Es él.

Y entonces hizo algo que Tobin no pudo ver bien, y el cerrojo se abrió con un chasquido, sin más. Los dos sarianos se precipitaron en el interior de la celda. Tobin quiso seguirlos, pero el escolta le cerró el paso. El joven karishano se resignó a aguardar en el corredor, pero aguzó el oído, tratando de enterarse de lo que sucedía tras el guardaespaldas.

En el interior del calabozo, la dama Sabina se inclinó respetuosamente sobre el cuerpo caído del rey Ravard.

—Despertad, Majestad —susurró—. Hemos venido a rescataros.

El rey no respondió. Kendal acercó la antorcha que portaba, y la luz iluminó un rostro pálido, frío y evidentemente maltratado.

—Lo han torturado —dijo el bardo, mientras Sabina lanzaba una exclamación consternada—. Lo siento, señora. El rey ha muerto.

Fuera, en el pasillo, Tobin oyó claramente estas ominosas palabras. Se volvió hacia el guardaespaldas, pero éste no se movió, como si la noticia no lo hubiese sorprendido lo más mínimo. También oyó, desde el interior de la celda, un sollozo contenido.

La reina Marla se encontraba en sus aposentos, particularmente irritada, cuando Kab se presentó ante ella.

Ella apenas lo miró. Estudiaba un antiquísimo volumen que, por el momento, no le había proporcionado las respuestas que estaba buscando. Prácticamente toda la superficie del escritorio estaba cubierta por libros similares. Sobre las páginas de uno de ellos reposaba el medallón de Marla.

—Majestad...

La reina alzó la cabeza y clavó sus ojos en él.

—Un grupo de intrusos ha entrado en las mazmorras.

—¿Los sarianos?

—Eso parece. Sospecho que han venido a rescatar al rey.

—Imaginaba que no tardarían en intentar algo así. Envía a la guardia. Y recuerda que los quiero vivos.

En las mazmorras, los infiltrados discutían acaloradamente. La dama Sabina, muy afectada, insistía en buscar la entrada de Gorlian para sacar de allí a Ahriel. Tobin la secundaba. El guardaespaldas estaba claramente en contra de ello, aunque fue el único que no alzó la voz en ningún momento. En cuanto a Kendal, se debatía entre ambas opciones: sostenía que Ahriel era la única persona capaz de derrotar a la reina Marla, pero reconocía que ir a Gorlian a buscarla era demasiado arriesgado.

—Ya sé qué vamos a hacer —dijo finalmente—. Tobin y yo iremos a buscar a Ahriel. Mi señora, vos y vuestro protector debéis salir de aquí y ocultaros en un lugar seguro. Si no regresamos...

No terminó la frase. Sabina protestó débilmente, pero el alto guardaespaldas la empujó con suavidad hacia la entrada del pasadizo secreto, y ella claudicó y se dejó llevar. Su escolta la siguió, cargando con el cuerpo del rey Ravard.

Cuando los perdieron de vista, Tobin y Kendal volvieron a cerrar la puerta de la celda y siguieron avanzando por los pasadizos. Ahora que no estaban bajo la imponente sombra del guardaespaldas de Sabina, Kendal se sentía mucho más expuesto a las miradas insidiosas que los presos les dirigían desde sus celdas. En cambio Tobin caminaba, a pesar de su evidente cojera, con un aplomo sorprendente, dadas las circunstancias

—Eh, amigo, sácame de aquí o gritaré —gruñó uno de los reclusos.

Kendal retrocedió un paso, pero Tobin avanzó.

—Lo haré si así lo deseas, «amigo» —replicó, con un tono tan amenazador que consternó al propio Kendal—. Avisaré al capitán Kab para que te mande de cabeza a Gorlian.

—No... eso no...

—Entonces cierra la boca.

Los dos siguieron su camino. Kendal miró a su compañero, suspicaz.

—¿Qué clase de «contactos» tienes aquí?

—No de esa clase. Le he tomado el pelo: jamás he hablado con Kab. Pero a veces basta con decir algo con suficiente convicción para que todos te crean. Si caminas como un ladrón, todos te tomarán por tal. Actúa como si fueses el amo del lugar y nadie dudará que tienes derecho a estar aquí.

Kendal trató de seguir su consejo, pero no podía evitar sentirse inquieto. Aquel lugar le traía muy malos recuerdos.

—¿Dónde está la entrada de Gorlian?

—No lo creerías. Lo cierto es que...

Tobin no llegó a contarle a Kendal dónde se hallaba la puerta de la temida y oscura prisión mágica. Un grupo de guardias les cerró el paso. Kendal dio media vuelta.

—¡¡Corre!!

Él mismo echó a correr con todas sus fuerzas, pero entonces se dio cuenta de que su compañero no lo había seguido. Se giró para ver qué pasaba, y vio a Tobin cojeando tras él, tratando de alcanzarlo. Lanzando una maldición por lo bajo, Kendal volvió sobre sus pasos para ayudarlo.

Los guardias no tardaron en apresarlos a ambos.

En el pasadizo, Sabina oyó el grito de Kendal y se detuvo.

—¡Tienen problemas!

Su protector se volvió hacia ella, serio y sereno.

—No podemos regresar.

—¡Pero ellos son nuestra única esperanza! ¡Tobin sabe cómo llegar hasta Gorlian!

—Tendremos que arreglárnoslas sin Ahriel, señora. No puedo permitir que te pongas en peligro.

La joven se volvió hacia él y lo miró a los ojos.

—Yarael: yo cuidaré de mí misma. Sabes que puedo hacerlo.

Su guardaespaldas asintió lentamente.

—Tú debes regresar a Saria y dar sepultura al cuerpo de nuestro rey. No podemos permitir que se quede aquí. ¿Comprendes?

—Señora, sé que es importante para ti, pero...

No terminó la frase: Sabina había dado media vuelta y corría con ligereza por el pasadizo. Tras depositar con suavidad el cadáver del rey Ravard en el suelo, Yarael fue tras ella.

Sabina llegó al pasadizo justo a tiempo de ver cómo los guardias se llevaban a Kendal y a Tobin. Mordiéndose el labio inferior, acarició un medallón que pendía de su cuello. De inmediato, su figura se difuminó hasta hacerse completamente invisible.

Así camuflada, siguió a los guardias a través de los calabozos. Nadie podía verla ahora...

... A excepción de Yarael, que la vio marchar y después volvió a ocultarse en el túnel. Sí, sin duda Sabina se las arreglaría bien. De todas formas, no pensaba marcharse sin ella.

Había decidido esperar allí a que regresase, cuando su fino oído captó pasos al fondo del corredor. Comprendió que alguien más, aparte de ellos, conocía aquel pasadizo secreto y, dando media vuelta, dejó atrás las mazmorras para correr a proteger el cuerpo sin vida del rey Ravard, tal y como Sabina le había ordenado.

Los guardias arrojaron a los prisioneros a los pies del capitán Kab.

—Vaya, vaya —murmuró éste al ver a Kendal—. De modo que ha vuelto la pequeña rata que olisquea tras las puertas. Ha sido una estupidez por tu parte, ¿sabes?

Kendal no dijo nada. La atención de Kab se centró en Tobin.

—A ti no te conozco —dijo con indiferencia—. ¿Eres sariano?

—No, señor —murmuró Tobin—. Nací en una aldea en Karish oriental.

—Dices la verdad: tu acento responde por ti. Pero eso no te salvará: sólo significa que no eres más que un traidor. Lleváoslo y encerradlo —dijo a los guardias—. Lo interrogaré más tarde. En cuanto a ti —añadió, volviéndose a Kendal—, te escapaste una vez, pero no volverás a hacerlo.

—¿Vas a ejecutarme? —preguntó Kendal, desafiante, aparentando un valor que estaba lejos de sentir.

El capitán sonrió. Y no fue una sonrisa agradable.

—No, pequeña rata; mereces algo peor.

Kab no especificó más; sin embargo, Kendal entendió a qué se refería. El capitán envió a sus hombres de vuelta a sus puestos, y él mismo se encargó de conducir al bardo a los aposentos de la reina.

Ninguno de los dos se percató de la presencia de Sabina, que, invisible, seguía sus pasos. La joven se deslizaba tras ellos en silencio. El corazón le latía alocadamente. Si Kab enviaba a Kendal a Gorlian, ella podría ver dónde se hallaba la entrada y sacarlo de allí, junto con Ahriel, cuando el camino estuviese despejado.

Esperó apenas unos segundos antes de asomarse a la sala donde Kab y Kendal acababan de entrar. Se sintió inquieta al ver que el joven bardo estaba inconsciente. ¿Cómo había sucedido? Sabina miró a su alrededor, buscando una pista. El capitán había entrado en las habitaciones de la reina Marla, pero ella no se encontraba allí. Estudió la estancia con detenimiento, pero nada de lo que vio en ella le llamó la atención, a excepción de una pequeña bola de cristal que reposaba sobre una mesilla. Se preguntó si la reina practicaba la adivinación. Si era así, y tenía aptitudes, ello explicaría, en parte, el gran poder que había adquirido en los últimos tiempos.

—Mira quién ha venido a visitarnos —dijo de pronto una voz a su espalda.

Sabina se volvió, sobresaltada. La reina Marla estaba allí, *mirándola*. La joven retrocedió unos pasos.

—¡No puedes verme! —susurró, aterrada.

La reina no dijo nada. Sólo sonrió y cogió algo que llevaba colgado al cuello, sosteniéndolo ante Sabina para que lo viera bien. La muchacha no pudo reprimir una exclamación de sorpresa.

Era un medallón. Idéntico al suyo.

Entonces, algo la golpeó por detrás y todo se puso negro.

Marla se había asomado al balcón de su aposento, con la esperanza de que el frescor de la noche enfriase su ira. Kab se reunió con ella en silencio.

—¿Ya está? —preguntó la reina.

—Todo se ha hecho como indicasteis, señora.

Marla respiró hondo. Seguía alterada. Extendió la mano, y Kab depositó en ella el medallón de Sabina. La reina se volvió para examinarlo a la luz de la habitación, y lo comparó con el suyo propio.

A simple vista parecían iguales, pero Marla sabía que no lo eran. Ambos eran las dos caras de un amuleto único que guardaba un prodigioso secreto en su interior. La joven reina alzó su medallón para que la inscripción de su cara interna fuese claramente visible.

—«Sólo un Protegido despertará al Devastador» —leyó—. Me precipité, Kab. La profecía no concluía ahí.

—¿Qué queréis decir?

La reina le mostró entonces el medallón de Sabina.

—¿Sabes lo que esto significa? Que los rumores eran ciertos, y Ravard guardaba más de una sorpresa en su reino.

—Por fortuna, la hemos capturado a tiempo.

—¿Y su acompañante? Sé que no estaba sola.

—Lo hemos encontrado en el pasadizo que utilizaron para entrar. Tratamos de capturarlo, pero logró ganar la salida y escapó. Se ha llevado consigo el cuerpo del rey.

—Volverá, no me cabe duda. En cuanto dé sepultura al rey, regresará a buscar a la chica. No va a dejarla atrás tan fácilmente.

Kab vaciló.

—Mi señora, creo que hay algo más que deberíais saber. Ese tipo se fue…

—¿… volando?

El rostro del capitán se tiñó de genuina sorpresa.

—¿Cómo… cómo…?

—¿Que cómo lo sé?

Los ojos de Marla brillaron peligrosamente. Unió los dos medallones y comprobó que éstos encajaban a la perfección, como las dos caras de una moneda, formando una única joya que se abría como un libro.

También el medallón de Sabina mostraba una inscripción. Marla lo leyó todo seguido:

«Sólo un protegido despertará al Devastador…
guiado por su ángel».

XI

Sabina despertó sintiéndose extrañamente vacía. El viento soplaba con furia, y la joven se arrebujó en su capa, tiritando. Cuando miró a su alrededor vio que se encontraba en una tierra montañosa desconocida, yerma y baldía; pero no fue esto lo que más la inquietó, sino el hecho de que no veía a Yarael por ninguna parte. Se llevó la mano al medallón que siempre había pendido de su cuello, desde que podía recordar, y tampoco lo encontró allí.

Comprendió entonces a qué se debía aquella sensación de desamparo.

En apenas unas horas, lo había perdido todo.

A su lado, Kendal se incorporó también, ligeramente aturdido.

—¿Dónde... dónde estamos?

—En Gorlian —murmuró Sabina.

No tenía idea de cómo lo sabía, pero estaba convencida de que no se equivocaba. Kendal se estremeció.

—Es imposible —murmuró—. Quiero decir... si Tobin dijo que la entrada estaba en el palacio de la reina Marla...

—También dijo que es una prisión mágica.

—Pero... ¿dónde están los barrotes, las celdas, los guardias?

—No hay ninguna celda capaz de retener a un ángel —susurró Sabina con un escalofrío—. Tobin tenía razón: Marla no encerraría a Ahriel en una prisión corriente. Pero me pregunto...

Dejó la frase sin concluir. Kendal se levantó de un salto.

—Bien, pues ya estamos aquí. Lo único que nos queda por hacer es encontrar a Ahriel.

—¿De veras crees que nos ayudará? No querrá enfrentarse a su protegida.

—Pero tampoco pudo apoyarla, y por eso ella la encerró aquí.

—Eso suponiendo que Tobin dijese la verdad.

Kendal vaciló.

—Reconozco, mi señora... que no se me había ocurrido. Bien mirado, podría haber sido una trampa. Al fin y al cabo, si esto es realmente Gorlian, nosotros hemos acabado aquí, y él no.

—Sin embargo, creo que dijo la verdad. Ahriel no está muerta. El vínculo que se establece entre un ángel y su protegido es muy fuerte. Marla pudo traicionar a Ahriel, pero dudo que tuviese valor para matarla. Si quiso asegurarse de que su ángel no la molestara, tuvo que encerrarla en el único sitio del que sabía que no podría volver.

Sintió una punzada en el corazón y respiró hondo. La presencia de Kendal no bastaba para llenar el vacío que provocaba la ausencia de Yarael en su alma.

—Vamos —dijo, con un soberano esfuerzo de voluntad—. Busquemos a Ahriel.

Era difícil avanzar por aquel terreno rocoso y desigual, y los delicados pies de Sabina pronto acusaron el esfuerzo. Kendal la obligó a pararse a descansar al cabo de un rato, a pesar de que ella insistía en que no se detendría hasta encontrar signos de vida.

El problema fue que los «signos de vida» los encontraron antes a ellos.

Kendal y Sabina poco pudieron hacer contra la horda de hombres y mujeres, que, vestidos con pieles y esgrimiendo armas toscas pero efectivas, los apresó momentos más tarde. Kendal se debatió con todas sus fuerzas y Sabina gritó y pataleó, pero aquellos bárbaros se rieron de ellos y se los llevaron a rastras, sin la menor consideración hacia los destrozados pies de la joven.

Por fortuna, el lugar a donde se dirigían no estaba lejos de allí. Se trataba de un primitivo campamento de chozas de piedra y barro, con tejados cubiertos por pieles de animales que ninguno de los dos logró identificar. Una vez allí, sus captores los ataron y los arrojaron al interior de una pequeña cabaña húmeda y maloliente.

Sabina no se quejó. Estaba demasiado agotada. Se dejó caer en un rincón y cerró los ojos, aliviada de poder descansar al fin.

—¿Qué va a pasarnos ahora? —murmuró.

—Los he estado escuchando —respondió Kendal a media voz—. Para ellos somos «recién llegados». Tienen un líder, una especie de rey. Nos llevarán ante él.

Sabina asintió, agotada. Una parte de sí misma se negaba a aceptar la realidad, y estaba segura de que, cuando abriese los ojos, se encontraría con que nada de todo aquello había sucedido. Pero, en el fondo, sabía que aquella pesadilla era real, demasiado real. El rey Ravard había muerto, Saria había caído en manos de la reina Marla y ella había perdido su medallón y a su guardián, y se hallaba presa de unos convictos que vivían como salvajes en Gorlian.

Suspiró, tratando de pensar con claridad.

—Bien. Hablaré con ese rey.

—¿Lo creéis prudente, mi señora?

—Toda esta gente está aquí a causa de Marla. Nos escucharán si les decimos que poseemos la clave para derrotarla.

Kendal asintió.

—De todas formas, sería conveniente que no revelaseis a nadie...

—Lo sé. No te preocupes.

Sabina no dijo nada más. Momentos después se había sumido en un sueño intranquilo, y Kendal no quiso despertarla.

Habrían transcurrido apenas un par de horas cuando se abrió la puerta. Uno de los convictos arrojó a alguien brutalmente sobre ellos. Sabina despertó, sobresaltada, y Kendal se apresuró a apartarse el bulto de encima y tratar de ganar la puerta; pero ésta se cerró de nuevo.

—¿Qué pasa? —preguntó Sabina—. ¿Qué es esto?

El advenedizo gimió y trató de incorporarse. Kendal lo estudió a la escasa luz que se filtraba por debajo de la puerta.

—¿Tobin? ¿Qué haces aquí?

—Lo mismo que vosotros, supongo —murmuró Tobin, intentando encontrar una postura algo más cómoda.

—¿Te interrogaron?

—Sí; y, antes de que preguntes más, te diré que conté todo lo que sabía. Esa Marla es una bruja de cuidado. Su capitán me interrogó cuando estaba bajo los efectos de una especie de brebaje...

—El suero de la verdad —asintió Kendal—. He oído hablar de él. Por fortuna, apenas nos conocíamos, de modo que no habrás podido ser demasiado indiscreto. Me pregunto por qué no nos interrogaron a nosotros.

—Tal vez porque no podíais decirle nada que no supiera ya —apuntó Tobin.

Sabina y Kendal cruzaron una mirada alarmada.

—No puede ser verdad —murmuró él—. No podía estar al tanto de...

—Tiene el medallón —le recordó la joven.

—¿De qué estáis hablando? —intervino Tobin.

Kendal se dejó caer contra la pared, abatido.

—Cuanto menos sepas, mejor para ti.

—Como queráis —replicó Tobin, encogiéndose de hombros.

Sabina lo miró con curiosidad.

—No pareces preocupado por el hecho de estar aquí.

—Bueno, es cierto que las cosas no han salido exactamente como había planeado. Pero la verdad es que hacía mucho tiempo que quería venir a este lugar.

—Por motivos personales —recordó Kendal—. Sí, eso dijiste. Pero ahora no podemos salir de aquí y…

—Deja de mirar la parte negativa de las cosas, ¿quieres? —cortó Tobin bruscamente—. Estoy vivo, y eso me basta. Para alguien tan lento y torpe como yo, cada nuevo amanecer es casi un milagro.

Kendal abrió la boca para decir algo, pero se calló a tiempo. Cualquier comentario que se le hubiese ocurrido al respecto habría estado fuera de lugar.

Permanecieron en silencio durante el resto del día, porque estaban demasiado cansados y hambrientos como para hacer cualquier otra cosa que no fuera esperar. Al caer la noche, captaron por fin una cierta agitación en el exterior. Kendal logró arrastrarse hasta la puerta para espiar por una ranura.

—Ha llegado alguien —comunicó a los demás—. No puedo verlo bien, pero parece importante. Todos se muestran bastante respetuosos con él. Esperad. Parece que...

La puerta se abrió de golpe y Kendal cayó hacia adelante, ante un individuo fornido y malcarado que le lanzó una hosca mirada. Tras él venían otros dos.

Sin miramientos, los hombres arrastraron a los tres prisioneros hasta el exterior y los arrojaron a los pies de una figura alta y oscura.

—Recién llegados, señora —dijo uno de ellos con respeto.

Los aludidos alzaron la cabeza para mirar, desde el suelo, a la persona ante la que estaban involuntariamente postrados. Era alta, para ser una mujer, y llevaba el largo cabello negro encrespado y suelto sobre los hombros. Les dirigió una mirada glacial y ligeramente despectiva.

—¿Ahriel? —pudo decir Kendal, sorprendido.

Sabina dio un respingo y la observó con más detenimiento. Entonces fue cuando vio las alas, y entendió enseguida por qué le habían pasado desapercibidas al primer vistazo. Cubrían la espalda de Ahriel como una capa oscura y enmarañada, lacias, sin gracia, sin vida.

La mujer esbozó una sonrisa felina y se inclinó para mirar a Kendal a los ojos.

—Kendal —dijo—. No has cambiado mucho en todos estos años.

—¿A-años? —balbució Kendal.

—Tú no puedes ser un ángel —dijo súbitamente Sabina.

Ahriel se volvió hacia ella, con un brillo peligroso en la mirada. Su rostro ya no era claro y sereno como en días pasados. Mostraba demasiadas emociones humanas, y el odio, el resentimiento y el desprecio predominaban sobre todas ellas.

—¿Qué sabes tú de los ángeles?

Sabina vaciló y bajó la mirada. Ahriel sonrió, burlona.

—Yo no soy un ángel —dijo.

—Entonces, todo está perdido —murmuró la muchacha.

—Para vosotros, desde luego —se volvió hacia su gente y dijo—. No me sirven. Matadlos.

Kendal se quedó con la boca abierta, incapaz de reaccionar. Ahriel les dio la espalda y comenzó a alejarse de ellos. Sabina trató de ponerse en pie, pero las ataduras se lo impidieron. Al sentir las manazas de uno de los convictos cerrándose sobre sus brazos, gritó:

—¡Espera! ¡Tienes que ayudarnos a derrotar a la reina Marla!

Ahriel no contestó. Les hizo un gesto de despedida con la mano, sin volverse siquiera.

—¡Espera! —insistió Sabina, tratando de desasirse—. ¡*Ah-lias vin deliel*!

Ahriel se detuvo bruscamente y se volvió hacia ellos.

—¿Qué has dicho? —siseó.

—*Ah-lias vin deliel* —repitió Sabina, desafiante—. «La justicia prevalecerá.»

La Reina de la Ciénaga se acercó a ella y la atravesó con la mirada. Sabina se estremeció. Sentía el poder de Ahriel, pero no se parecía en nada a la resplandeciente fuerza angélica que ella conocía. La energía que emanaba de Ahriel era sombría y oscura.

—¿Dónde has aprendido eso?

—Me lo enseñó Yarael. Mi ángel.

Hubo un breve silencio. La mirada de Ahriel la abrasaba por dentro, pero Sabina mantuvo sus ojos fijos en los de ella.

—Mientes —dijo finalmente la Reina de la Ciénaga—. Los protegidos llevan un signo, y tú no lo traes.

—Me lo quitó Marla —replicó ella—. Es un medallón con una inscripción en angélico y en humano que dice: «Guiado por su ángel».

Vio un brillo de triunfo en los ojos de Ahriel, y comprendió que había cometido un error, aunque no pudo adivinar cuál. El ángel se incorporó para alejarse de ella, dando a entender que ya había oído suficiente.

—¡No, espera, déjame hablar! —trató de detenerla Sabina.

—¿Por qué debería hacerlo? No vas a hacerme cambiar de idea. Sois una pandilla patética, vosotros tres: una damisela, un bufón de corte y un lisiado. No me servís para nada. No sobreviviríais ni un día en

Gorlian. Consideradlo un acto de piedad: tendréis una muerte rápida que os ahorrará sufrimientos inútiles.

Las palabras de Ahriel eran crueles, y Kendal parpadeó varias veces, incapaz de creer que aquel demonio con forma de mujer alada fuese el ángel justo y resplandeciente que la había salvado de las garras de Kab, varios meses atrás. Parecía que en Gorlian, por alguna extraña razón, había transcurrido mucho más tiempo, pero ¿explicaba aquello el brutal cambio experimentado por Ahriel?

—¡Yo no soy una damisela! —chilló Sabina, luchando desesperadamente por librarse de su captor, que la arrastraba lejos de Ahriel—. ¡Soy Kiara, princesa de Saria, hija del rey Ravard!

Kendal suspiró, preocupado. Tobin miró a Sabina con incredulidad. De nuevo, Ahriel hizo un gesto a sus hombres para que se detuvieran y se acercó a ella.

—Buen intento. También yo oí los rumores… Dijeron que había nacido en Saria una princesa, el mismo día en que vino al mundo la que hoy es soberana de Karish. Pero nunca más se supo de esa supuesta princesa sariana. Sin duda nació muerta. ¿Por qué habría de creerte?

—Vino un ángel —susurró la joven—. Ravard era un rey guerrero, mientras que Briand de Karish siempre abogó por la paz. Por eso los ángeles pensaban que yo daría problemas y que Marla sería una reina justa. ¿No lo sabías? Los tuyos enviaron a dos ángeles ese día. Enviaron a Yarael y te enviaron a ti.

Hizo una pausa, pero Ahriel no movió ni un músculo. Sabina prosiguió:

—Mi ángel me apartó de mi padre y de mi reino, y me educó en los ideales angélicos. Crecí alejada del mundo y aprendí a utilizar los poderes que los ángeles confieren a sus protegidos. Pero, tras la invasión de Saria por parte de Karish... no pude quedarme escondida un momento más. Sin embargo, cuando acudí a ver a mi padre, ya era tarde: había sido apresado por la reina Marla. Entonces Kendal me habló de ti. Me dijo que eras la única que podía ayudarnos. Yarael tenía sus dudas, por supuesto, porque decía... —vaciló.

—Puedo imaginar perfectamente lo que diría de mí cualquier ángel —respondió Ahriel con sarcasmo—. Y me importa bien poco. Continúa.

—Bueno... lo cierto es que incluso Yarael admitió que nadie conocía a Marla mejor que tú. Y luego Kendal contactó con Tobin, que le dijo que seguías viva y en Gorlian.

—Y habéis venido para buscarme. Qué enternecedor.

—En realidad, entramos en el palacio para rescatar a mi padre. Pero llegamos tarde. Ya estaba muerto.

Se le hizo un nudo en la garganta al recordarlo, pero contuvo las lágrimas al ver que Ahriel seguía atravesándola con la mirada.

—La reina nos atrapó —concluyó.

—Bonita historia, princesa Kiara. ¿Y dónde está tu ángel, ese tal Yarael?

—Yo... lo dejé atrás.

—Parece que no soy la única que fracasó, ¿eh? Bien —añadió, irguiéndose—, ya te he escuchado. Matadlos —repitió.

—¿Es que no me crees? —casi chilló la chica, desesperada.

Ahriel le dirigió una extraña mirada y se rió.

—¿Qué te hace pensar que no te creo?

Kiara, estupefacta, quiso decir algo, pero no le salieron las palabras.

—Pero, Ahriel —dijo Kendal, desconsolado—. ¿Por qué?

No obtuvo respuesta.

—¡Señora de Gorlian! —gritó entonces Tobin—. ¡Concededme una última gracia!

—Haz que se calle, Gon —dijo Ahriel, hastiada.

El llamado Gon hundió el puño en el estómago de Tobin, pero éste había seguido hablando, y la última palabra que salió de sus labios, con un jadeo ahogado, fue:

—¡... Bran!

Ahriel se volvió hacia él como movida por un resorte.

—¿Cómo has dicho?

Tobin no respondió. Había caído al suelo de rodillas y trataba de recuperar el aliento. Ahriel se acercó a él.

—¿Qué has dicho, tullido? —le preguntó con dureza.

—Quería... preguntaros... —jadeó Tobin— si conocíais... a mi hermano. Yo... he venido aquí... a buscarlo. Se... se llama Bran.

Ahriel respiró hondo. Kiara, que ya había olvidado todo cuanto Kendal le había contado acerca de ella y la consideraba una mujer dura, fría y sin corazón, se sorprendió al observar hasta qué punto habían afectado a Ahriel las palabras de Tobin.

La Reina de la Ciénaga se había inclinado junto a su prisionero. Cogió su rostro entre ambas manos con extraordinaria delicadeza y lo miró a los ojos. Tobin se estremeció.

—Es cierto... —musitó ella—, te pareces mucho a Bran. Tus ojos...me recuerdan mucho a los de él. Eres Tobin, ¿verdad?

Él la miró, sorprendido.

—¿Me conocíais?

—Tu hermano me habló de ti, una vez.

Su voz estaba cargada de nostalgia, melancolía y una infinita amargura. Kiara apenas podía creer lo que estaba sucediendo. Por el tono empleado por Ahriel, la joven habría jurado que la Señora de Gorlian había sentido algo muy intenso por ese tal Bran. Pero no era posible. Yarael le había dicho que los ángeles no eran capaces de amar.

Pero también le había asegurado que los ángeles luchaban por la justicia y la verdad.

«No soy un ángel», había dicho Ahriel. Kiara empezaba a comprender por qué.

—¿Conocéis, pues, a mi hermano? —preguntó Tobin.

Los ojos de Ahriel brillaban a la luz de las estrellas.

—Lo conocí una vez, Tobin —dijo, con una dulzura que Kiara no había creído que pudiera poseer—. Pero siento decirte que tu sacrificio ha sido en vano. Nunca podrás salir de aquí y, además... tu hermano Bran murió hace ya muchos años.

Tobin sostuvo su mirada un momento y luego giró la cabeza, temblando. Ahriel decidió dejarlo solo para que asimilara la noticia. Se levantó bruscamente y le dio la espalda.

—Soltadlos —ordenó con voz queda.

Algo perplejos, sus subordinados obedecieron. Ahriel alzó la cabeza para mirar a Kiara.

—Largaos —dijo—. Fuera de mi vista.

—Pero... —empezó ella; Ahriel la interrumpió.

—No abuses de tu suerte, princesa. No te estoy haciendo ningún favor. Mi gente no se meterá con vosotros, pero, aun así, no sobreviviréis. Gorlian no es lugar para vosotros. Dentro de tres días, Kiara, lamentarás no haber muerto hoy.

Ella abrió la boca para decir algo, pero, finalmente, comprendió. Asintió, pesarosa.

—Gracias —musitó.

Kendal no se dio por vencido.

—¿No nos vas a ayudar?

—Creía que había quedado claro, bardo. Quitaos de mi vista antes de que cambie de idea. Y no os molestéis en tratar de escapar: no hay salida.

Tobin rió de manera extraña. Ahriel lo miró fijamente.

—Señora —dijo el joven, con una sonrisa torva—. ¿Creéis de verdad que planearía entrar aquí sin saber cómo escapar?

Los convictos murmuraron entre ellos. Ahriel los acalló con una mirada.

—Es un farol —dijo, muy tranquila.

—En absoluto. Yo he visto Gorlian por fuera. Y estoy seguro de que tú también. Pero no lo has reconocido.

—Explícate.

—Bueno, es sólo una teoría, y para confirmarla debería ver por mí mismo los límites de Gorlian. En cualquier caso, desearía que mantuviésemos una charla privada para hablar del asunto —Ahriel iba a negarse, pero Tobin añadió—. Y, de paso, tal vez podrías hablarme de Bran.

La Señora de Gorlian vaciló.

XII

obin se acercó cojeando a la muralla de cristal y colocó las manos sobre ella, palpándola en busca de grietas o fisuras.

—Ya te he dicho que es inútil —dijo Ahriel—. Es una cúpula completamente cerrada. No se puede salir de aquí.

Tobin esbozó una sonrisa maliciosa, tan parecida a las de Bran que Ahriel sintió una punzada en el corazón. Desechó rápidamente aquella sensación. Hacía mucho tiempo que había rodeado su corazón de una muralla de fuego, una pared de hielo y un impenetrable cerco de espinas. Ahora, nada ni nadie podía afectarla.

Jamás volverían a hacerle daño.

Percibió que Kiara avanzaba un poco, tímidamente, y se situaba a su lado, acompañada por Kendal. Durante el largo y difícil trayecto a través de la Ciénaga, la princesa de Saria había perdido gran parte de su orgullo. Estaba sucia, cansada, hambrienta y maltrecha, y Kendal no se sentía mejor que ella.

En cambio Tobin, a pesar de su pierna contrahecha, se había enfrentado a la Ciénaga con una fe inquebrantable, que era, sin embargo, más fruto de la terquedad que de la esperanza.

—Pero yo tenía razón. Sólo me he equivocado en un pequeño detalle.

—¿Se puede saber de qué estás hablando? —gruñó Kendal—. ¿Hay o no hay una entrada en el palacio de la reina Marla?

—No exactamente. Veréis... todo Gorlian está en el palacio de la reina Marla. En su habitación, para ser más exactos.

Ahriel ladeó la cabeza con una breve sonrisa burlona. Kiara suspiró, exasperada.

—¿¡Qué!? —estalló Kendal—. ¡Estás chiflado! ¡Jamás debí hacerte caso...!

Kendal siguió despotricando, pero Tobin no se inmutó. Ahriel les dio la espalda a los tres, indiferente, mientras la mirada de Kiara iba de uno a otro. Sus ojos se detuvieron entonces en el grueso cristal de la gigantesca cúpula bajo la que se ocultaba Gorlian, y la verdad inundó su mente como un rayo de luz hendiendo las tinieblas. Cuando comprendió lo que ello significaba, su cuerpo entero se estremeció de terror.

—No... puede... ser —musitó.

Habló en voz muy baja, pero algo en su tono hizo callar a Kendal. Tobin asintió, solemne.

—Ella lo ha comprendido. Sabe que es verdad. Todo Gorlian está en los aposentos de la reina Marla.

Kiara se tambaleó, y Kendal se apresuró a sostenerla. Ahriel la miró.

Y entonces, también ella lo entendió, y fue como si algo la golpeara como una enorme maza. Sintió que le faltaba el aliento; se dejó caer sobre una roca musgosa y enterró el rostro entre las manos.

—¿Qué? —murmuró Kendal, confuso—. ¿Qué es lo que pasa?

—Es... este lugar —musitó Kiara con esfuerzo—. Esta cúpula de cristal... no es exactamente una cúpula.

—¿Qué quieres decir?

—Es una bola de cristal. Y nosotros estamos encerrados en su interior.

Ahriel cerró los ojos. Ella no lo habría sabido explicar con tanta claridad.

Gorlian era un mundo en miniatura. Por eso allí el tiempo transcurría más deprisa.

Y estaba contenido en una bola de cristal. La misma que Ahriel había tomado por una esfera de adivinación. Recordó entonces que el loco Mac le había dicho en una ocasión que, si cavaba un túnel hacia abajo, toparía con otra barrera de cristal.

«Él lo sabía», pensó Ahriel.

¿Cómo lo había averiguado? ¿Tal vez había visto en su viaje a las alturas algo que le resultara revelador? Ahriel no lo sabía, y nunca lo averiguaría. El loco Mac había muerto muchos años atrás. Al igual que Dag, y que muchos otros.

—Pero eso es imposible —murmuró Kendal, pálido, mirando a sus compañeros—. Decidme que no es verdad.

Nadie se lo dijo.

—Si es una bola de cristal —susurró Kiara—, estará completamente cerrada. ¿Cómo hemos podido entrar aquí?

—De la misma manera que hemos encogido para caber en su interior —dijo Tobin—: magia negra.

—De modo que es verdad lo que se cuenta por ahí —musitó Kiara—. La reina Marla es la protectora de la secta de los Siniestros.

—¿Qué son los Siniestros? —preguntó Kendal.

—Yarael me habló de ellos. Extraen su poder del dolor, del sufrimiento, de todo lo repulsivo, lo monstruoso y lo degenerado. Es un tipo de magia retorcida y desvirtuada que se complace en alterar la naturaleza de los seres vivos y convertirlos en espantosas criaturas mutadas que no son más que una parodia de lo que eran antes. Buscaban un poder que los convertiría en dioses, y sólo lograron controlar la energía que se encuentra en los cuerpos en descomposición, en lo corrupto y lo putrefacto, en la enfermedad y en la muerte. Pero jamás perdieron de vista su objetivo. Ahora que han adquirido más poder, se dedican a transformar a los seres vivientes para volver a crear el mundo a su voluntad.

—En ese caso, Gorlian debe de ser su laboratorio de pruebas —gruñó Kendal—. ¿Por qué se aliaría Marla con esa gente?

—Porque, hasta el momento, ellos son los únicos seres humanos que han logrado resucitar algún tipo de magia, aunque sea una magia deformada y abyecta —intervino Tobin, sombrío.

—Hay que detenerla —musitó Kiara, pálida.

Ahriel esbozó una sonrisa socarrona.

—¿Se te ocurre alguna manera? Ella está ahí fuera, y nosotros aquí dentro.

—Tobin tenía un plan —intervino Kendal, sarcástico—. Uno de nosotros debía quedarse fuera para sacar a los demás.

—¿Y qué habríais hecho después? —les espetó Ahriel con dureza—. ¿Enfrentaros a ella? ¿Vosotros tres?

—Contábamos contigo. Aunque, después de lo que hemos visto, reconozco que Marla es mucho más poderosa de lo que creíamos.

—Pero está Kiara —dijo Tobin pensativo, a media voz.

Ella se volvió hacia él.

—¿Qué quieres decir?

—Bueno... no sé... la verdad es que entiendo poco de estas cosas, pero... las dos habéis nacido el mismo día y las dos estáis protegidas por los ángeles. Eso quiere decir algo, es una señal. Yo creo que, si alguien puede derrotar a Marla, esa eres tú, princesa. Debes de tener los mismos poderes que ella.

—En algunos casos, incluso superiores —añadió Ahriel de mala gana—. Los ángeles os concedieron dones a las dos, pero yo jamás enseñé a Marla a utilizarlos. Pensaba esperar a que fuese un poco mayor. Aunque, de todos modos —concluyó con aspereza—, de poco te servirán ahora que estás atrapada en Gorlian y has perdido tu medallón y a tu ángel.

—Eso... no puede ser casualidad —dijo Tobin—. Quiero decir que Kiara es una protegida sin ángel guardián, y tú, Ahriel, eres un ángel guardián sin protegida...

—No soy un ángel —cortó ella con brusquedad—. Dejad de decir tonterías y aceptad de una vez el hecho de que nunca podréis salir de aquí.

Tobin la miró, pensativo.

—¿Y si hubiese una manera? Si pudiésemos escapar de aquí... ¿te unirías a nosotros contra Marla?

—No. ¿Por qué habría de hacerlo?

—Para vengar a Bran.

La respuesta cogió a Ahriel por sorpresa. Había esperado que Tobin le hablara de justicia, de la lucha del bien contra el mal, de la paz, de la esperanza, de todas aquellas cosas en las que ella ya no creía. Entonces comprendió que Tobin no era como Kiara y Kendal. Él tenía sus propios objetivos, y una visión del mundo más individualista que heroica.

—Eso pasó hace muchos años —respondió sin embargo—. Sus asesinos ya están muertos.

Una parte de su mente trató de rescatar de su memoria un secreto que había guardado celosamente desde la muerte de Bran. Ahriel lo reprimió enérgicamente. Nadie debía saberlo. Jamás.

—No han sido años para mí —le recordó Tobin—. Y te equivocas: no todos están muertos.

Ahriel no contestó. Kiara y Kendal asistían a la conversación sin intervenir. Ninguno de los dos había conocido a Bran y sentían que no tenían derecho a opinar.

—¿No quieres enfrentarte a la reina Marla y hacérselo pagar? —insistió Tobin—. Ella creó Gorlian, con ayuda de esos retorcidos sectarios. ¿No quieres encontrar al nigromante que creó al Rey de la Ciénaga? ¿No matarías al que te colocó ese cepo en las alas?

Ahriel tembló de ira.

—No estás vengada —concluyó Tobin, satisfecho—. Ni tú, ni Bran. Únete a nosotros y tendrás tu revancha. Estoy seguro de que no es una casualidad que Kiara y tú os hayáis encontrado.

Kendal no pudo contenerse.

—Hablas por hablar —le espetó—. No se puede salir de aquí. Nunca obtendréis esa venganza que buscáis.

Tobin rió. No era una risa alegre.

—¿Crees de verdad que yo entraría en un sitio del que no supiera cómo salir?

—¡Qué engreído! —estalló Kiara—. Todos sabemos que no entraste aquí por propia voluntad.

—No —reconoció Tobin—. Pero tengo dos cosas que deciros al respecto. En primer lugar, recabé toda la información que pude sobre este lugar mucho antes de ponerme en contacto con vosotros. No resultó sencillo, pues Gorlian es el secreto mejor guardado de la reina Marla. Lo único que sabía al principio era que nadie había logrado escapar de aquí jamás. Pero yo sospechaba que, pese a ello, se requería un lugar de entrada de prisioneros. Y cuando llegué aquí y vi a esos engendros, comprendí que estaba en lo cierto. Si son creación de los Siniestros, no creo que Marla sea la única que tiene acceso a Gorlian. Estoy seguro de que esos nigromantes pueden entrar y salir de Gorlian sin problemas.

—En eso tienes razón —lo apoyó Ahriel inesperadamente.

Les habló del misterioso traficante que, durante un tiempo, había suministrado armas al Rey de la Ciénaga. Muerto éste, el traficante no había vuelto a aparecer, y el abastecimiento de armas se había interrumpido.

—Tenía que haber un sitio por el cual entraban y salían —prosiguió Tobin—. No una puerta en la muralla, ni un pasadizo secreto. Debía de tratarse de un lugar de poder, una especie de círculo mágico o algo así. Tenía que ser un lugar discreto, alejado de las zonas transitadas. Un lugar que nadie descubriese por casualidad y que no se manifestase a simple vista.

—Podría ser —admitió Ahriel—. Pero te recuerdo que Gorlian es muy grande. Jamás lo encontraríamos.

—Al contrario: yo tengo una idea bastante aproximada de dónde encontrarlo, y esta es la segunda cosa que quería contaros. Veréis, cuando Kab terminó de interrogarme fingí que perdía el sentido de puro terror. Así pude enterarme de muchas cosas. Después, Kab y uno de esos sectarios me trajeron aquí. No pude ver cómo lo hacían, pero entreabrí un poco los ojos cuando llegamos, y creo que lograría reconocer el lugar si volviese a verlo. Estaba en la Cordillera, no lejos del lugar donde me encontraron tus hombres.

Ahriel lo miró, impasible.

—Me cuesta creer que Marla cometiese el error de no comprobar si tu desmayo era o no fingido.

Tobin se encogió de hombros.

—La gente tiende a pensar que no valgo gran cosa y no me toman en serio. Al fin y al cabo, ¿qué puede hacer contra la poderosa reina Marla un tullido como yo?

Habló con amargura, y Ahriel sintió algo parecido a la compasión. Pero la presencia de Tobin despertaba recuerdos dolorosos de días pasados, y ella no terminaba de sentirse cómoda con aquella situación. La impulsaba a creer que Bran no había muerto del todo, y Ahriel no quería creer eso, porque sabía que estaba muerto. Tobin había reavivado esa vieja sensación.

Y en todo aquel tiempo, desgraciadamente, no había sido el único.

Ahriel se obligó a sí misma a reprimir aquellos sentimientos y a prestar atención al joven.

—Lo que quiero decir, Ahriel —estaba diciendo Tobin—, es que puedo sacarte de aquí...

Tobin hizo una pausa. Ahriel estuvo a punto de decirle que, en el fondo, no sentía deseos de volver al mundo real, porque Gorlian era su feudo y allí era ella quien dictaba las reglas. Que no le interesaba unirse a una causa que no era la suya por puro sentido del deber. Ya no.

Además, si Tobin tenía razón y había un modo de salir de Gorlian, ella había cometido un terrible error, años atrás, tomando una decisión que no le gustaba recordar.

Pero entonces Tobin dijo algo que sacudió las entrañas de la Señora de Gorlian y encendió su ira y su odio:

—...Y entonces le haremos pagar a Marla lo que le pasó a Bran.

Algo despertó en su interior, un débil eco de su antiguo sentido de la justicia, que se rebelaba ante lo absurdo de la muerte de Bran. Pero el odio tomó posesión de ese sentimiento y lo recondujo en otra dirección.

Venganza.

—Adelante, pues —dijo—. Se lo haremos pagar.

Kiara lanzó una exclamación de sorpresa.

—Pero, Ahriel, ¡es tu protegida! Tú no...

—No es mi protegida —cortó Ahriel—. Yo no protejo a nadie. Sólo cuido de mí misma.

Tobin dio una mirada circular.

—¿Estamos todos de acuerdo? Si es así, no hay tiempo que perder: debemos regresar a la Cordillera cuanto antes.

—Pero, en caso de que encontrásemos la salida —objetó Kendal—, aún debemos tener en cuenta otra pequeña cuestión. ¿Cómo vamos a enfrentarnos a Marla?

—Marla recibió la gracia angélica cuando nació —dijo Tobin—. Nada puede derrotarla. Nada salvo su ángel, u otra persona con la misma protección que se le confirió a ella. Pero, ahora que sé que Marla juega con magia negra, no estoy seguro de si Kiara está preparada para enfrentarse a ella.

—¿Intentas decir que no hay esperanza? —casi gritó Kendal.

—No —Tobin se volvió hacia Ahriel—. Tú debes de saber algo. Seguro que conoces una manera de derrotar a la reina Marla.

Ahriel calló.

—Por favor —insistió Tobin—. Tiene que haber alguna forma. Algo o alguien que nos pueda ayudar. ¿No sabes nada al respecto?

Ahriel tardó un poco en contestar.

—Existe un modo —dijo finalmente.

Sus tres compañeros la miraron, pero ella no añadió nada más.

—¿De qué hablas? —exigió saber Kiara—. ¿A qué te refieres?

—Existe una criatura antigua y poderosa cuyo poder es superior al de Marla. Un ser a quien los ángeles derrotaron y encerraron hace mucho tiempo.

—¿De veras? Yarael nunca me habló de eso.

—Los ángeles no hablan nunca de él. Ha pasado tanto tiempo desde que fue vencido que todos han olvidado ya su nombre. Pero se lo conoce como el Devastador. Y sólo la fuerza combinada de un ángel guardián y un humano de facultades especiales puede destruir el sello que cierra su tumba y controlar su voluntad.

Kiara se estremeció.

—Suena... no sé...

—Demasiado radical —opinó Kendal—. ¿Por qué no pedimos ayuda a los demás ángeles, Ahriel?

—Porque no intervendrían. Los ángeles son, fundamentalmente, observadores. Se comportan con los humanos como padres que pretenden educar a sus hijos, convencidos de que saben qué es lo mejor para ellos. Sólo que los padres intervienen cuando hay problemas, y los ángeles no. Nunca actúan para cambiar el presente, sino para tratar de mejorar el futuro. Quisieron educar a Marla y a Kiara, porque leyeron en las estrellas que el destino de su mundo estaba en sus manos. Fracasaron. Ahora se encogerán de hombros y se limitarán a observar sin inmiscuirse cómo Marla se hace con el poder, destruyendo todo a su paso. En el fondo no les importa, ¿sabéis? ¿Qué es para ellos una generación humana destruida? Cuando todo esto acabe, los ángeles estarán allí todavía. Se limitarán a esperar que los humanos aprendan la lección del equilibrio en la próxima generación. Creen que es su deber, pero lo cierto es que les da igual.

—Hablas como si no fueras una de ellos —murmuró Kiara, estremeciéndose.

—No soy una de ellos.

—¿Qué hay de ese Devastador? —intervino Tobin—. ¿Podría él derrotar a Marla?

—Con toda seguridad. Y Kiara tiene el poder para liberarlo. Marla tenía un medallón en el cual estaba inscrita la leyenda: «*Sólo un Protegido despertará al Devastador*».

—En mi medallón —intervino Kiara—, en cambio, decía: «*Guiado por su ángel*».

—Yarael nunca permitiría que abrieses el sello, Kiara. Debemos hacerlo tú y yo.

—En tal caso... si Yarael no está de acuerdo... bueno, no sé si debería hacerlo.

—¿Es que no has comprendido nada? A Yarael no le importa nada lo que nos pase. Los ángeles dicen luchar por la justicia, ¿pero quiénes son ellos para juzgar quién merece un castigo y quién no? Excepto su misión para contigo, lo demás le es indiferente.

—¡No te creo! Yarael no es así. Se unirá a la lucha contra Marla.

—No lo hará. ¿Y sabes por qué? Porque, para los ángeles, todo lo que tenga que ver con Marla es asunto mío. Yo fracasé, y soy yo quien debe reparar el error cometido.

Kendal la miró de reojo.

—Pero no es por eso por lo que vienes con nosotros, ¿verdad?

Ahriel no contestó enseguida.

—No —dijo finalmente, tras un largo silencio.

—¿Entonces...? —empezó Kiara, pero Tobin respondió:

—Venganza.

Y Ahriel entrecerró los ojos en un gesto torvo.

El viaje de regreso a la Cordillera fue aún más penoso que el anterior. Era como si la Ciénaga hubiese intuido que pensaban escapar de Gorlian y tratase de retenerlos allí para siempre, sepultándolos en su lodazal infecto. Cuando, finalmente, pusieron los pies en tierra firme y la Cordillera se alzó ante ellos, Ahriel miró atrás y se preguntó si sería cierto que no volvería allí nunca más. Después de tanto tiempo, la perspectiva de escapar de allí la dejaba indiferente, porque no terminaba de hacerse a la idea.

Una parte de ella deseó volver atrás a buscar algo que había perdido hacía mucho tiempo, y por primera vez en muchos años lamentó aquella pérdida.

Volvió a reprimir aquellos pensamientos, sacudió la cabeza y siguió adelante.

A petición de Tobin, pasaron por el lugar donde se hallaba la tumba de Bran. Ahriel se despidió de él en silencio. «Vengaré tu muerte», le dijo mentalmente. Creyó oír una respuesta en su corazón, pero no se trataba de la voz de Bran, sino de algo parecido al llanto de un recién nacido.

A partir de ahí, tardaron tres días más en llegar a su destino. Entonces, al caer la tarde, la Señora de Gorlian se detuvo y señaló a su alrededor con un amplio gesto de su brazo. Se encontraban en una depresión entre altos picos montañosos.

—Esto es lo que llamamos la Zona de los Recién Llegados. Todos aparecen más o menos por aquí.

—¿Cómo lo sabes? —inquirió Kiara—. A mí toda la Cordillera me parece igual.

Ahriel no respondió. Tobin avanzó renqueando y miró en torno a sí.

—Pero éste no es el lugar —dijo—. Nosotros aparecimos un poco más lejos. Kab y el hechicero cargaron conmigo un buen trecho y después me dejaron aquí.

—Tiene sentido —asintió Ahriel—. La salida no puede estar demasiado cerca del lugar donde dejan a los nuevos presos porque, si así fuera, alguien la habría encontrado ya.

—Es algo más complicado que eso —Tobin señaló un picacho retorcido y puntiagudo cuya base se alzaba al fondo del valle—. Nosotros bajamos por ahí.

Sus compañeros se quedaron en silencio un momento.

—No se puede subir —dijo Kendal finalmente—. Es demasiado escarpado.

Ahriel no dijo nada. Si Tobin tenía razón y en lo alto de aquel picacho se encontraba la salida de Gorlian, entonces Bran había acertado con respecto al motivo por el cual le habían inmovilizado las alas. Sólo había una manera de llegar allí arriba: volando.

—¿Cómo bajasteis vosotros? —preguntó Kiara con curiosidad—. ¿Con magia?

—No exactamente. Había unas escaleras en el interior de la montaña. Se accedía a ellas a través de una cueva.

—No hay cuevas en esta zona, Tobin —dijo Ahriel.

—La entrada no puede descubrirse a simple vista. Seguidme y veréis a qué me refiero.

Cuando alcanzaron la base de la montaña, la rodearon hasta llegar a la parte posterior, donde se abría un inmenso precipicio que parecía no tener fondo.

—No hay mucho espacio para moverse, así que tened cuidado —les advirtió Tobin.

Avanzaron con precaución, pegados a la pared rocosa, hasta que Tobin, que iba delante, se detuvo. Los demás vieron entonces que el reborde se interrumpía para dar paso al abismo.

—¿Y ahora qué, genio? —gruñó Kendal, pero Tobin no lo estaba escuchando. Parecía muy concentrado en palpar la pared en busca de algo.

Kiara iba a hacer algún tipo de comentario, pero Ahriel la acalló con un gesto. En aquel momento, Tobin halló el saliente que buscaba y tiró de él. Y esperó.

Se oyó un ruido similar a un gemido que parecía proceder de las entrañas de la tierra.

Y, entonces, una parte de la pared desapareció, mostrando la entrada al interior de un túnel.

Tobin sonrió, satisfecho. Sus tres compañeros se habían quedado boquiabiertos.

—Adelante —los invitó el joven—. Entrad deprisa, no sea que alguien pierda el pie.

Ahriel, Kiara y Kendal se apresuraron a hacer lo que decía. Una vez en el interior, comprobaron que, efectivamente, había unas escaleras talladas en la roca que ascendían hasta perderse en la oscuridad.

—Para haber fingido que estabas inconsciente, te fijaste mucho en todos los detalles, ¿eh? —comentó Kendal, impresionado.

Tobin iba a responder cuando, de pronto, volvió a escucharse aquel escalofriante sonido, y la abertura se cerró tras ellos, dejándolos sumidos en la oscuridad. Kiara gritó y se lanzó contra la pared de roca, pero Ahriel la sujetó con firmeza.

—Silencio. Estamos demasiado cerca como para estropearlo todo ahora.

Kiara asintió, avergonzada.

—Seguidme todos —ordenó la Señora de Gorlian—. Puedo ver mejor que vosotros en la oscuridad. Cogeos de la mano y no os separéis.

Los tres jóvenes obedecieron, y Ahriel los guió por las escaleras. Tobin tropezó varias veces, pero sus compañeros lo sostuvieron e impidieron que cayera rodando escaleras abajo.

Al cabo de una subida que se les antojó interminable, vieron por fin un leve resplandor en lo alto. Antes de que Ahriel pudiese detenerla, Kiara salió corriendo hacia él. Kendal la siguió, y Ahriel se disponía a hacer lo mismo cuando vio que Tobin tenía dificultades para avanzar en aquellos últimos metros. Lo miró un momento, pensativa, mientras él arrastraba su pierna lisiada por el suelo de piedra, y entonces le tendió la mano para ayudarlo.

—Gra... —empezó Tobin, pero Ahriel lo cortó con sequedad:

—Lo hago por Bran.

Al doblar un recodo vieron un círculo de luz que relucía en el suelo. Ahriel lo contempló. Aquello era magia negra, al igual que los engendros y el cepo que le retenía las alas, pero ella no sintió ningún tipo de repulsión. Había pasado tanto tiempo en Gorlian que su cuerpo y su alma se habían acostumbrado a las infames vibraciones de aquel poder retorcido. Hacía ya muchos años que sentía el cepo como una parte más de su cuerpo.

Por un momento, sintió un ramalazo de nostalgia ante aquellos días pasados, cuando todo su ser reaccionaba dolorosamente ante cualquier manifestación de aquella magia perversa. Reprimiendo un suspiro, ayudó a Tobin a entrar en el círculo y vio cómo desaparecía.

Se quedó quieta un momento ante la salida, dudando. Una parte de su ser parecía desgarrarse para quedarse en Gorlian, y Ahriel comprendió que, después de tantos años, todavía ignoraba si había hecho o no lo correcto.

Antes de entrar en el círculo, volvió la mirada hacia el túnel oscuro y se preguntó si tendría valor para regresar a buscar lo que dejaba atrás.

XIII

La transición fue breve y sencilla. Todo pareció ondularse durante un momento, y después la luz rojiza se intensificó hasta el punto de hacerles cerrar los ojos, pero enseguida el resplandor remitió y, cuando Ahriel y Tobin miraron a su alrededor, se encontraron en los aposentos de la reina Marla.

Ahriel lamentó no haber previsto aquel detalle. En su obsesión por salir de Gorlian, no se habían planteado qué los esperaría al otro lado. Por fortuna, todo estaba oscuro y silencioso. O Marla no se encontraba allí, o estaba durmiendo en su alcoba, situada en la habitación de al lado. Ahriel dudaba que Marla durmiese alguna vez, de modo que decidió salir de allí cuanto antes, por si volvía. Se dijo a sí misma que prefería enfrentarse a ella en mejores condiciones, pero en el fondo de su corazón sabía que tal vez no estuviese preparada todavía.

Kiara y Kendal los esperaban en la puerta. Ahriel se reunió con ellos, seguida de Tobin. Sin una palabra, los cuatro salieron al pasillo y recorrieron el palacio, que presentaba un inusual aspecto silencioso y oscuro. «¿Dónde está todo el mundo?», se dijo Ahriel, desconcertada, mientras su instinto la obligaba a mantener la guardia sin dejarse engañar. «¿Qué es lo que pasa aquí?»

Kendal los guió hasta la sala donde, tiempo atrás, había escuchado a escondidas la conversación entre Ahriel y Marla. El pasadizo secreto seguía oculto tras uno de los tapices. Por supuesto, Ahriel sabía que ya no era tan secreto como antes, pero, si seguían aquella ruta, al menos tendrían menos posibilidades de encontrarse con alguien.

El grupo se internó por el túnel. Kendal iba delante, iluminando el camino con una antorcha. Lo seguían Kiara y Tobin, y Ahriel cerraba la marcha. El ángel percibió una gran tensión en el ambiente, y comprendió que todos temían no poder alcanzar la ansiada libertad en aquellos metros finales.

También la propia Ahriel se sentía intranquila. Durante mucho tiempo había soñado con escapar de Gorlian, pero en los últimos años había aprendido a vivir con la idea de que ese deseo jamás se haría realidad. Ahora avanzaba por aquel pasadizo en dirección a la libertad, y se movía como en un sueño, esperando despertar en cualquier momento, sin terminar de creer que aquello estuviese sucediendo realmente.

Quizá por eso no estaba tan tensa como sus compañeros, cuya estancia en Gorlian había sido considerablemente más breve que la suya, y que, además, no habían llegado a recibir lo que el viejo Dag había llamado «el Golpe».

De pronto, Kendal se detuvo. Kiara casi chocó contra él.

—¿Qué pasa? —preguntó.

—Hay una bifurcación. Sé que el camino de la izquierda no lleva a ninguna parte, pero ignoro si debemos seguir recto o torcer a la derecha.

—El camino recto lleva a las mazmorras —dijo Ahriel—. No sé a dónde conduce el de la derecha, pero no es descabellado pensar que desemboque en el exterior.

—¿Cómo es que estás tan segura? —preguntó Tobin.

—Yo descubrí este pasadizo mucho antes que Kendal. De hecho, lo utilicé para tenderle una trampa.

El joven bardo asintió, pero no hizo ningún comentario.

—Fue Marla quien me lo enseñó —prosiguió Ahriel en voz baja—. No sospeché entonces, pero ahora sé que es muy probable que emplease el túnel a menudo para salir del palacio sin ser vista.

—Eso no importa ahora —los apremió Tobin—. Debemos salir de aquí cuanto antes.

Kendal alzó la antorcha y entró el primero por el pasadizo de la derecha. Los demás lo siguieron.

Al cabo de un rato llegaron a otra bifurcación. Uno de los túneles seguía recto, mientras que el otro desembocaba en unas escaleras descendentes. Ahriel se asomó, pero ni siquiera su aguda visión de ángel pudo distinguir qué había más allá.

—Es ese poder oscuro —dijo inesperadamente Kiara, a su lado.

Ahriel prestó más atención y percibió también aquella energía repulsiva y retorcida que emanaba de los engendros, de su cepo y de todo Gorlian en general.

—¿Crees que es ahí donde se reúne con los Siniestros? —preguntó Kendal, estremeciéndose.

—Yo no pienso bajar para averiguarlo —declaró Tobin—. Vamos, tenemos que salir de aquí. Estamos cansados, hambrientos y debilitados. No podríamos enfrentarnos a ella en estas condiciones.

—No podríamos enfrentarnos a ella ni siquiera contando con todas nuestras fuerzas —replicó Kendal, apesadumbrado.

Pero se apartó de las escaleras y siguió a Tobin por el pasadizo. Kiara no tardó en reunirse con ellos. Ahriel se quedó quieta un momento, contemplando el camino descendente. «Pronto, Marla», se dijo, y se apresuró en alcanzar a sus compañeros.

No tardaron en comprobar que la intuición de Ahriel era correcta. El túnel terminaba en una portezuela que, una vez retirada, les mostró un pedazo de cielo nocturno. Cuando salieron al exterior, a Kiara se le llenaron los ojos de lágrimas.

—Por fin —susurró—. Por fin.

Se hallaban en un bosquecillo no muy lejos del palacio real. La luna iluminaba suavemente la ciudad de Karishia, que dormía en el fondo del valle.

—No puedo creerlo —dijo Kendal—. Hemos escapado de Gorlian. Y hemos sido los primeros.

Ahriel no dijo nada. Se había sentado sobre la hierba con los ojos cerrados y respiraba profundamente, acariciando la hierba con los dedos, como si no se atreviese a tocarla.

—¿Ahriel? —la llamó Kiara, insegura.

—Había olvidado lo bien que huele el mundo —dijo ella solamente.

Nadie supo qué responder a eso. Ahriel se levantó y miró a su alrededor. Había lágrimas en sus ojos, y Kiara la contempló, sobrecogida. Había pasado toda su vida junto a Yarael y jamás lo había visto llorar, porque los ángeles no lloraban.

Ahriel sacudió la cabeza y dijo:

—Está bien, vámonos. Tenemos mucho que hacer.

Cerraron la entrada del pasadizo. La puerta estaba trenzada con helechos y enredaderas, lo que la hacía completamente invisible a simple vista, puesto que se confundía con el entorno a la perfección. Después, Ahriel echó a andar sin mirar atrás. Tobin la siguió.

—¿A dónde vais? —preguntó Kiara.

—Vamos a despertar al Devastador —respondió Tobin.

Ahriel no dijo nada. Siguió andando, y Kiara fue tras ella. Kendal se quedó mirando un momento la entrada oculta del pasadizo, pensativo.

—¿No creéis que ha sido demasiado fácil?

—No desprecies los golpes de suerte, amigo —le llegó la voz de Tobin—. La fortuna podría ofenderse y volverte la espalda.

Kendal sonrió, a su pesar, y echó a correr para alcanzar a sus compañeros.

Ahriel sabía dónde se encontraba la tumba del Devastador, y estaba dispuesta a viajar hasta allá. Tobin la apoyaba. Kiara tenía sus dudas, pero, dado que no tenía un plan mejor, y que no sabía dónde encontrar a Yarael, optó también por acompañar a Ahriel en su viaje hacia el norte.

Al principio, Ahriel impuso un ritmo muy duro, porque quería alejarse todo lo posible de Karishia. Cuando juzgó que no había peligro inmediato se relajó un tanto, pero no demasiado.

Una tarde, mientras atravesaban un bosque —Ahriel evitaba poblaciones y caminos transitados— tropezaron con un río de agua tan clara que se veían todas y cada una de las piedras del fondo. Los cuatro fugitivos contemplaron el agua con avidez, pero sin atreverse a acercarse todavía. Tobin fue el primero en entrar en el río, cojeando, sin molestarse en deshacerse de la ropa de pieles que Ahriel le había proporcionado en Gorlian. Kendal lo siguió, y Kiara buscó un lugar algo más apartado para poder bañarse con tranquilidad. Ahriel, sin embargo, permaneció en la orilla, con la vista clavada en el agua. Casi había olvidado lo fresca, pura y transparente que podía llegar a ser el agua.

Sin decir nada a nadie, remontó el curso del río hasta que halló un remanso tranquilo. Entonces, lentamente, se quitó la ropa y entró en el agua.

Cerró los ojos para disfrutar de aquella sensación. Hacía muchos años que no tomaba un baño de verdad. Ni siquiera el agua del refugio secreto de Bran podía despojarla de la suciedad de Gorlian.

Se lavó a conciencia, frotando amorosamente cada una de sus plumas hasta que volvieron a ser blancas. Pero no logró devolverles el blanco de antaño, puro y resplandeciente como la nieve de las montañas o la espuma de mar. Ahora era un blanco desvaído, marchito, sucio.

Y Ahriel comprendió entonces que nada volvería a ser como antes, porque, por muy lejos que fuese, siempre llevaría Gorlian adherido a su piel y enquistado en su corazón.

No tardaron en reanudar la marcha. Kendal robó algo de ropa que halló tendida al sol en el patio trasero de una granja, y de esta manera pudieron despojarse de sus vestimentas de piel de engendro y sentirse, más que nunca, libres.

—Deberías cubrirte con una capa, o algo parecido —señaló Kiara—. Tus alas llaman demasiado la
atención, sobre todo ahora que vuelven a ser blancas.

No añadió que no se trataba del blanco angélico
que ella tanto admiraba, y que había visto en las alas
de Yarael. De los tres humanos, sólo Kiara fue capaz
de apreciar que, si bien Ahriel había recuperado su
aspecto de ángel, no era ni la sombra de lo que había
sido.

Pero, pese a que la princesa no dijo una sola palabra al respecto, sus ojos se encontraron con los de
Ahriel, y ésta supo muy bien qué era lo que le ronda-
ba por la cabeza.

—Aquí hay una capa —dijo entonces Kendal,
revolviendo en el lío de ropa que había traído—. No
es gran cosa, pero creo que servirá.

Al acercarse a Ahriel para entregársela, sus ojos se
detuvieron por casualidad en sus alas, y ya no pudo
apartarlos de ellas.

—¿Qué es lo que pasa? —inquirió Ahriel.

—Es ese cepo. Ahora que lo veo mejor… Bueno, no
sé cuántos años has pasado en Gorlian, pero el cepo
está muy estropeado. Tal vez podamos arrancarlo.

Alargó la mano hacia él, pero Ahriel se apartó
bruscamente.

—No toques mis alas —le advirtió.

Kendal fue a replicar, pero sus ojos se cruzaron
con los de Ahriel, y no se atrevió.

Ahriel pasó el resto del día preguntándose por qué había reaccionado de aquella manera. Era cierto que los hombres más fuertes de Gorlian habían tratado de arrancar el cepo sin conseguirlo, y que cada nueva decepción había sido más difícil de encajar que las demás. Pero... ¿justificaba eso que no quisiera volver a intentarlo?

Por la noche, mientras seguía meditando la cuestión al amor del fuego de la hoguera, pensó en lo que supondría deshacerse del cepo por fin. Después de tantos años, aquel artefacto había dejado de molestarle, hasta el punto de que casi lo sentía ya como una parte más de su cuerpo.

Pero había otra cosa: aun en el caso de que lograsen quitarle el cepo... ¿sería capaz de volver a volar, después de haber estado tanto tiempo con las alas inmovilizadas? Comprendió entonces que, en el caso de que aquello sucediese, no podría soportar una decepción tan amarga.

Y estaba también el hecho de que ella ya no quería ser un ángel.

Las preguntas y las dudas siguieron martilleando en su cabeza hasta mucho después de que se acostara, cerca de la hoguera. Cuando, finalmente, se durmió, agotada, todavía no tenía respuesta para ninguna de ellas.

Aquella noche soñó con Bran.

Los ángeles no soñaban, pero Ahriel había empezado a hacerlo mucho tiempo atrás, a raíz de la muerte de su amigo. Siempre se trataba de malos sueños que le mostraban a Bran muriendo de cien maneras diferentes. Ella trataba de salvarlo, pero nunca llegaba a tiempo.

Durante muchos años, las pesadillas la habían atormentado casi cada noche. Con el tiempo había dejado de experimentarlas.

Aquella noche, volvieron.

Soñó que se hallaba en el fondo de un abismo, y Bran se encontraba en el borde del precipicio, muchos metros por encima de ella, con Tobin. Ahriel les gritaba para que se alejasen del peligro, pero Bran no la oía, perdía el pie y caía.

Ahriel batió las alas con todas sus fuerzas y logró elevarse unos cuantos metros. Pero sentía que algo muy pesado tiraba de ella hacia abajo.

Bran caía. Ahriel lo llamaba, gritando su nombre. Movía las alas desesperadamente, haciendo un esfuerzo sobrehumano por alcanzarlo, pero no lograba avanzar lo más mínimo.

Bran pasó junto a ella en su caída hacia el suelo, pero Ahriel sólo logró rozar sus dedos.

Entonces se giró para ver qué ocurría con sus alas, y el horror le impidió gritar.

Las blancas plumas de sus alas se habían transformado en cadenas negras.

Ahriel no pudo soportar su peso por más tiempo y empezó a caer. Instantes después, los dos se precipitaban hacia el suelo, hacia una muerte segura. Lo último que vio Ahriel fue la figura de Tobin que, desde lo alto del precipicio, los miraba. Lo último que oyó fue el llanto de un niño pequeño.

Ahriel despertó, con el corazón latiéndole con fuerza. Al mirar a su alrededor sólo vio a Kendal, Tobin y Kiara profundamente dormidos en torno a los restos de la hoguera. Respiró hondo. Ahora comprendía que no había escapado de Gorlian, ni lo haría jamás.

Entrecerró los ojos con una mueca de odio. Marla tenía la culpa de todo aquello. Cuando Marla muriese, Gorlian moriría con ella, y Ahriel sería libre.

Movida por una nueva y sombría determinación, despertó a sus compañeros y los obligó a reemprender la marcha inmediatamente. Kendal abrió la boca para protestar, pero, de nuevo, la mirada de Ahriel lo hizo callar.

Tardaron varios días en abandonar los dominios de la reina Marla. Tobin retrasaba la marcha, pero no estaba dispuesto a quedarse atrás, y Ahriel, que aplaudía interiormente su tenacidad, había decidido que no lo abandonaría.

El paisaje fue cambiando gradualmente. Las tierras que antes aparecían ante sus ojos verdes y fértiles fueron dando paso a un terreno yermo y baldío.

—Esto es el antiguo reino de Vol-Garios —dijo Ahriel a media voz—. Ahora pertenece a Saria, pero sus gobernantes siempre se las han arreglado para fingir que no existía.

—¿Por qué? —preguntó Kiara, estremeciéndose—. ¿Qué pasó?

Pero Ahriel no respondió.

Era una tierra de páramos interminables, pero en el horizonte se divisaba una montaña sombría. Aunque Ahriel no dijo nada, sus compañeros sospechaban que aquél era su destino.

Vol-Garios era un desierto de donde toda la vida había huido tiempo atrás, pero los fugitivos no encontraron grandes problemas a la hora de sobrevivir allí. Por muy inhóspita que fuese una tierra, siempre sería mejor que Gorlian, en todos los sentidos.

Alcanzaron la base de la montaña, y Ahriel los hizo trepar hasta la cima. El suelo estaba formado de un material extraño que ninguno de los tres humanos pudo identificar. Kendal comenzaba a sospechar de qué se trataba, pero no confirmó sus conjeturas hasta que alcanzaron la cumbre y miraron más allá.

La gran montaña de Vol-Garios era un enorme volcán inactivo.

Ahriel no halló grandes dificultades a la hora de encontrar una manera de bajar hasta el fondo del cráter. Kiara y Kendal la siguieron, ayudando a Tobin para que no perdiera el pie.

Cuando alcanzaron a Ahriel, la encontraron frente a una gigantesca lápida hundida en la piedra volcánica. Ahriel estudiaba con atención unos extraños símbolos grabados en la superficie de la losa.

—Es lenguaje angélico —susurró Kiara.

—¿Qué es lo que dice? —quiso saber Kendal.

—Es una larga historia —dijo Ahriel a media voz—. Los ángeles encerraron aquí al Devastador hace mucho tiempo, pero sabían que el poder angélico del sello no bastaría para retenerlo ahí. Por alguna razón, necesitaban también colaboración humana.

—¿Qué tipo de colaboración? —preguntó Kendal.

—Desde entonces, los ángeles han estado protegiendo y vigilando a los humanos —prosiguió Ahriel, sin responder a la pregunta—, esperando que llegue alguien capaz de destruir al Devastador de una vez por todas. Hasta ese momento, y atrapada por el poder del sello, esta criatura estará a merced de cualquiera que sea capaz de abrir su tumba. Y sólo una alianza entre un ángel y un humano protegido por la gracia angélica podría lograrlo.

—Pero tú has dicho muchas veces que ya no eres un ángel —objetó Tobin—. ¿Crees que podrías romper el sello?

Por toda respuesta, ella colocó la palma de la mano sobre uno de los símbolos.

Inmediatamente, sintió cómo un poder maligno la inundaba y exploraba todos los rincones de su alma. Ahriel cerró los ojos y aguantó. Cuando aquella energía se retiró de ella, abrió los ojos de nuevo y vio que la lápida se iluminaba con un suave resplandor sobrenatural.

—Sí eres un ángel —susurró Kiara—. El poder del sello te ha reconocido.

—Ahora te toca a ti —dijo Ahriel con brusquedad.

Retiró la mano y se hizo a un lado para que Kiara colocase la suya sobre la lápida.

Pero entonces, súbitamente, algo invisible golpeó por la espalda a la princesa de Saria y la derribó sobre el suelo de piedra volcánica. Ahriel se volvió con rapidez.

Y entonces vio a Marla. Y, antes de que nadie pudiese impedirlo, la reina de Karish colocó la palma de la mano sobre la lápida, y un brillo cegador envolvió la tumba del Devastador, provocando una onda de energía que los lanzó a todos hacia atrás con violencia.

Ahriel aterrizó contra una roca, golpeándose la cabeza, y perdió el sentido.

Despertó apenas unos minutos después, aturdida. Una sombra se cernió sobre ella.

—Volvemos a vernos, ángel —dijo una voz cuyo sonido agitó los más profundos velos de su memoria.

Ahriel alzó la mirada. Sobre ella se inclinaba un individuo encapuchado que sonreía inquietantemente.

Lo reconoció.

—Tú... —dijo, apretando los dientes.

—Veo que todavía conservas el cepo que te puse. Qué detalle por tu parte.

Ahriel trató de incorporarse, pero no lo consiguió. Descubrió entonces, con horror, que sus miembros estaban paralizados.

—¿Qué me has hecho?

El nigromante se rió con suavidad. Era una extraña risa gorgoteante, y Ahriel recordó dónde la había escuchado antes.

El Rey de la Ciénaga.

—Eres tú, ¿verdad? Tú creaste al Rey de la Ciénaga. Le diste inteligencia. Le diste voz...

—Y tú lo asesinaste. A mi mejor creación, un ser pensante...

—Un monstruo —corrigió Ahriel.

—No menos que tú —murmuró el hechicero—. Mírate. No eres humana, pero tampoco eres un ángel. Te has convertido en una rareza. Eres única en tu especie, igual que lo era el Rey de la Ciénaga. Y correrás su misma suerte.

El nigromante se enderezó y se alejó de ella, dándole la espalda. Ahriel trató desesperadamente de moverse, pero no lo logró. Miró a su alrededor, furiosa.

Y no le gustó lo que vio.

Marla estaba allí, acompañada por Kab. Junto a ella había un miembro de la secta de los Siniestros, y el creador del Rey de la Ciénaga se colocó junto a él para decirle algo en voz baja. Los dos llevaban túnicas y capuchas oscuras. El grupo había apresado a Kiara y a Kendal, que contemplaban la tumba del Devastador con muda fascinación.

Marla estaba de pie ante la lápida, y la luz sobrenatural que brotaba de ella iluminaba su rostro, marcado por una perversa expresión codiciosa. El

Devastador estaba despertando, y Marla, que había roto el sello, sería su ama y señora.

La situación no podía ser más desesperada. Pero ¿por qué? ¿Cómo había llegado Marla hasta allí?

Miró a sus compañeros y descubrió por primera vez a Tobin, de pie junto a Kab. Trató de llamar su atención, pero el joven la miró un momento, indiferente, y se volvió de nuevo hacia la tumba del Devastador. Ahriel se preguntó si no lo habrían hechizado a él también, cuando la dolorosa verdad se abrió paso en su mente y comprendió qué era lo que había pasado.

Tobin los había traicionado.

«Pero no puede ser verdad», se dijo el ángel. «Él es el hermano de Bran. Entró en Gorlian para rescatarlo. Quiere vengarse de la reina Marla.»

Pero, en el fondo, sabía que eso no era cierto. Cuanto más pensaba en ello, más piezas encajaban.

Él los había sacado de Gorlian, un lugar de donde nadie había escapado jamás. Él había convencido a Kiara y a la propia Ahriel para que fuesen a la tumba del Devastador, donde los estaban esperando Marla y los suyos.

Ahriel cerró los ojos, sin poder creerlo.

Marla y Kiara habían sido elegidas para ser las depositarias de una sabiduría ancestral que los ángeles querían compartir con los humanos; entre aquellos conocimientos se hallaba todo lo referente al Devastador. Pero Ahriel nunca le había hablado de ello a su protegida. Lo único que Marla sabía era lo que la inscripción de su medallón podía revelarle: que ella podría despertar a la bestia que dormía en el volcán de Vol-Garios.

Las tierras de Vol-Garios eran ahora parte del reino de Saria; por eso Marla había tenido tanto interés en someter a Saria y ocupar sus territorios.

Pero Marla no conocía suficientemente el idioma angélico como para descifrar los símbolos de la lápida. Sólo cuando el medallón de Kiara fue a parar a sus manos comprendió que necesitaba un ángel para despertar al Devastador. Y ella había enviado a Gorlian al único ángel que conocía. «Pero sabía que yo no la ayudaría voluntariamente», siguió reflexionando Ahriel. «Por eso no podía sacarme de Gorlian sin más. Envió a Tobin para mostrarme el camino de regreso y asegurarse de que yo colocaba la mano en esa lápida. Sabía que confiaría en él, porque...»

Porque no sólo era un pobre chico cojo que inspiraba compasión, sino que, además, era hermano de Bran.

Si Tobin había servido a Marla desde el principio, o sólo desde la captura de Kiara y Kendal, eso Ahriel no podía saberlo. Pero sospechaba que la reina de Karish conocía desde hacía mucho cuál era el punto débil de Ahriel; y, desde luego, había sabido sacar partido de él.

Ahriel sabía que Marla pasaba horas estudiando su bola de cristal. Una oleada de indignación la invadió cuando entendió que la reina había estado espiándola todo aquel tiempo. Y, seguramente, no había elegido a Tobin como agente por casualidad. «Tal vez, desesperada por no poder averiguar cómo despertar al Devastador, había planeado hace tiempo enviar a Tobin a Gorlian para interrogarme sutilmente», se dijo Ahriel.

Y la llegada de Kiara con su ángel y su medallón la había obligado a cambiar de planes. Ya no necesitaba los conocimientos de Ahriel: la necesitaba a ella.

¿Tobin planeaba realmente rescatar a Bran cuando contactó con Kendal? Probablemente no, se dijo Ahriel con amargura. Si, después de todo lo que ella le había contado, después de haber visto Gorlian con sus propios ojos, después de saber que había una manera de derrotar a Marla… si, después de todo aquello, Tobin los había traicionado igualmente, Ahriel no podía hacerse ilusiones en cuanto a su motivación.

¿Qué le había prometido Marla? ¿Riquezas, poder…? Lo que sí quedaba claro era que no le importaba lo más mínimo su hermano desaparecido. Sólo se preocupaba por sí mismo.

Debería haber sospechado de su actitud tranquila y segura. Por supuesto que no había estado preocupado en ningún momento. Al entrar en Gorlian, lo hizo con la certeza de que volvería a salir.

«No era el más rápido ni el más fuerte», había dicho Bran. «Pero era listo».

Sí, pensó Ahriel con amargura. No cabía duda de que el muy canalla era listo.

Antaño, Ahriel había sido capaz de descubrir a los embusteros con sólo mirarlos a los ojos. Pero aquello era cosa del pasado. Después de vivir tanto tiempo entre ladrones y delincuentes, después de convertirse en una de ellos, Ahriel había perdido su objetividad angélica.

Dominada por la furia y la sed de venganza, Ahriel trató de liberarse del hechizo. Pero su energía angélica estaba demasiado contaminada de humanidad, y no logró desbaratarlo.

Súbitamente un espantoso sonido, parecido a un aullido inhumano, rasgó el silencio. Todos retrocedieron un paso, a excepción de Marla, que permaneció impasible, con los ojos fijos en la tumba del Devastador. Ahriel siguió la dirección de su mirada.

Entonces, como herida por un rayo, la lápida se partió en dos.

XIV

La luz sobrenatural que bañaba el cráter del volcán se hizo todavía más intensa. Irradiaba un poder indudablemente maligno, que golpeó el alma de Ahriel con tanta violencia que ella perdió el aliento durante un breve instante. «¿Qué es eso?», quiso gritar, pero no le salieron las palabras. Sin atreverse a mirar al centro del cráter, se volvió hacia los humanos, y vio que todos, sin excepción, tenían la vista fija en la tumba del Devastador. A Ahriel no le gustó la expresión fascinada de sus rostros, pero hubo otro detalle que le gustó todavía menos: la certeza de saber que aquella cosa también seducía a una parte de sí misma. Trató de identificar la naturaleza de la poderosa criatura que estaba despertando, y casi inmediatamente comprendió que lo había sabido desde el principio.

Pero eso no impidió que se sintiese aterrada cuando la figura del Devastador se alzó ante ellos, enorme, terrorífico y decididamente maléfico.

—¡Un demonio! —susurró Ahriel, sobrecogida.

—Sí —dijo una voz cerca de ella—. Y tú lo has liberado.

Ahriel volvió la cabeza y encontró a su lado a un ángel de enormes y orgullosas alas blancas.

—Tú debes de ser Yarael —murmuró Ahriel—. ¿Cómo has llegado hasta aquí?

—Perdí el rastro de mi protegida, pero no tardé en volver a encontrarlo.

—Ayúdame a liberarme del hechizo. Si eso es realmente un demonio, debemos...

—No —la atajó Yarael—. No confío en ti.

—¡Pero no podrás enfrentarte a él tú solo!

Yarael le dirigió una mirada severa y Ahriel calló, intimidada. Al lado de aquel majestuoso ángel se sentía pequeña, sucia y mezquina.

—No te necesito —dijo Yarael—. Eres una vergüenza para nuestra raza.

Entonces Ahriel comprendió que nunca volvería a ser una de ellos. Comprendió que, aunque quisiese regresar a casa, los demás ángeles jamás la dejarían volver.

Algo se clavó en su espalda como dos dagas ardientes y, lentamente, se volvió, temiendo enfrentarse a lo que sabía que iba a encontrar.

El Devastador, uno de los más poderosos demonios que existían, estaba allí, en pie, pletórico de fuerza, y los miraba a ellos.

O, mejor dicho, dejó de mirar a Ahriel para clavar sus ojos como brasas en Yarael. Y mantuvo fija su mirada, sin volver a preocuparse de ella, como si no fuese un rival digno de tener en cuenta.

Yarael pareció aceptar el desafío, porque se irguió en toda su altura de más de dos metros, irguió las alas, encrespó ligeramente las plumas y extrajo su espada de la vaina.

—Vaya —dijo Marla—. Por fin un ángel de verdad.

Ahriel encajó el comentario hiriente sin un solo gesto. Los demás notaron entonces la presencia de Yarael. Kiara lanzó una exclamación ahogada.

Ahriel volvió su mirada hacia el Devastador. Sus contornos resultaban difusos, pero su figura parecía hecha de sombra y fuego, y sus ojos llameaban como el mismo infierno. Comparados con el Devastador, la secta de los Siniestros no era más que una pandilla de chiquillos traviesos.

—Mátalo —dijo Marla fríamente.

El Devastador lanzó un potente y aterrador rugido y saltó hacia Yarael. El ángel respondió de buena gana. Batió las alas y se elevó en el aire, y el demonio fue tras él, enarbolando una espada de fuego.

Cuando ambos se encontraron, todo el universo pareció notarlo.

Ahriel contempló la escena, sobrecogida. Ángeles y demonios eran enemigos ancestrales, y sus primeras guerras se remontaban a tiempos remotos, cuando los humanos todavía no hollaban la faz de la tierra. Y, aunque Ahriel conocía las leyendas que presentaban a los demonios como ángeles caídos en una era inmemorial, también sabía que ambas razas representaban fuerzas opuestas, y que ninguno de los dos bandos vencería al otro jamás, porque estaban destinados a enfrentarse hasta el fin de los tiempos.

Pero, en aquella batalla en concreto, Ahriel temía que Yarael llevase todas las de perder. Aunque el ángel, revestido de todo su resplandor angélico, era un temible oponente, el poder maligno del Devastador parecía no conocer límites. Un ángel guardián como Yarael no era rival para aquella criatura, se dijo Ahriel. No, aquello era tarea para alguien de rango superior. «¿Pero dónde están?», se preguntó, desesperada. «¿Dónde están todos?»

Nuevamente trató de romper el hechizo y, nuevamente, tuvo que renunciar. Arriba, en el aire, la contienda parecía estar decantándose poco a poco del lado demoníaco. Ahriel no pudo evitar mirar a Marla. Cualquier demonio se habría lanzado contra un ángel sin dudarlo un momento, pero Ahriel sabía que aquel en concreto también atacaría a toda criatura que Marla le señalase como objetivo, y, por el contrario, no movería un dedo a menos que ella se lo ordenase.

¿En virtud de qué extraño conjuro podía un demonio tan poderoso como el Devastador obedecer las órdenes de una insignificante humana como ella?

Contemplando los rostros fascinados de sus compañeros, Ahriel creyó encontrar la respuesta.

Los ángeles distinguían claramente el bien del mal. Para ellos, todo era blanco o negro. Su naturaleza exigía que luchasen a favor del bien y la justicia y que experimentasen una acusada sensación de repulsa hacia el mal. En su misión, que ellos consideraban sagrada, los demonios eran sus contrarios y sus complementarios.

Pero los humanos no captaban los límites con tanta claridad y, por ello, su visión del mundo estaba llena de matices y de infinitos tonos de gris. Los humanos podían buscar el bien, pero también sentirse atraídos por el mal.

«Nosotros nos considerábamos con derecho a guiarlos y enseñarlos», se dijo Ahriel. «Pero deberíamos aprender de ellos que las cosas no son tan simples, y la vida es infinitamente más compleja.»

Desde aquel punto de vista, sólo un humano podía llegar a dominar a un demonio. Porque los ángeles eran como ellos, pero los humanos conocían los dos caminos y, por tanto, podían elegir.

En cambio, un demonio no podía escapar de su naturaleza.

Y un ángel, tampoco.

Por eso los ángeles habían necesitado de la ayuda de los humanos para vencer al Devastador.

En aquel momento, Kiara chilló, y el cuerpo de Yarael cayó pesadamente al suelo, en medio de una nube de plumas blancas. Ahriel luchó por levantarse, pero no lo consiguió. Miró a Yarael y descubrió que estaba inconsciente.

—¡Mátalo! —dijo Marla—. Y después, ¡acaba con Ahriel!

El Devastador rugió de nuevo, pero Ahriel consideró más aterrador el tono de la voz de Marla cuando había ordenado su muerte. Y comprendió que, a la hora de la verdad, eran los seres humanos quienes tenían el poder en sus manos.

«Marla tuvo a su alcance a un ángel y a un demonio», se dijo. «Y eligió al demonio. Porque los humanos tienen una capacidad de elección de la que nosotros carecemos.»

Vio al Devastador alzar la espada llameante sobre Yarael. Vio que el ángel trataba de incorporarse e interponía su espada entre su persona y la del demonio. Las dos armas chocaron de nuevo, y el mundo volvió a estremecerse.

Ahriel contempló a aquellos dos seres abocados a una lucha tan antigua como el mismo universo. Y entendió por qué ella ya no era un ángel.

No tenía nada que ver con Marla, ni siquiera con Bran, o con su condición de Reina de la Ciénaga, ni tampoco con el secreto que había quedado sepultado en Gorlian tras su partida. No era nada relacionado con su capacidad de llorar, de amar, de emocionarse, de odiar y de matar por rencor, por venganza o sin motivo alguno.

No. Ahriel ya no era un ángel porque podía elegir su destino y tomar sus propias decisiones.

Y entonces comprendió que ya no debía preocuparla el hecho de ser o no ser un ángel o una humana.

Porque ella era, simplemente, Ahriel.

Y aprendió otra cosa en aquel momento: que Marla ya no tenía poder sobre ella.

Con un salvaje grito de triunfo, Ahriel buscó en su interior la fuerza necesaria para romper el hechizo, y la encontró. El poder que utilizó para ello tenía parte de su antigua energía angélica, pero, sobre todo, era un poder individual y único que ningún otro ángel poseía.

Era el poder de su alma libre.

La espada de fuego del Devastador se hundió en el cuerpo de Yarael. El ángel cayó al suelo, muerto. Kiara chilló; movida por la desesperación, logró librarse de su captor para correr hacia el cuerpo caído de Yarael, sollozando. Se inclinó sobre él y lo abrazó, sin preocuparse por el enorme demonio que se alzaba ante ella.

Kendal gritó una advertencia, pero era demasiado tarde. El Devastador agarró a Kiara por el cuello de su vestido y la separó brutalmente de Yarael. La princesa emitió un gemido que sonó como si la hubiesen desgarrado por dentro. El demonio la alzó en el aire con una sola mano.

—Mátala —dijo Marla.

Pero el Devastador no la oyó. Había percibido una nueva amenaza a su espalda, y se volvió para ver de qué se trataba.

Tras él se alzaba Ahriel, como un fénix renacido de sus cenizas. Irradiaba un poder que no era el fulgor angélico que el demonio conocía, y esto lo desconcertó. No, la fuerza de Ahriel era más oscura, pero también más apasionada y, sobre todo, indomable.

Ahriel levantó su espada. El Devastador blandió la suya.

—No eres un ángel —dijo el demonio; su voz sonó como el crepitar de mil llamas—. No eres un demonio. No eres humana. ¿Qué eres?

—Soy Ahriel.

El demonio dejó escapar una risa siniestra.

—Ahriel —repitió—. No eres rival para mí.

Ahriel blandió su espada.

—¿Quieres apostar?

El demonio acercó el filo de su arma al cuello de Kiara.

—Alto —le advirtió—. Si te acercas, ella morirá.

—Como si eso me importara —dijo Ahriel, encogiéndose de hombros.

Pero había vacilación en su voz, y el Devastador debió de percibirlo, porque rió de nuevo. Ahriel maldijo para sus adentros. Podía atacar al demonio en ese mismo momento, y tendría una oportunidad de derrotarlo, puesto que él se vería obligado a soltar a Kiara para detener su embestida. La joven moriría, pero con su sacrificio, Ahriel lograría tal vez devolver al Devastador al lugar al que pertenecía, y salvar así miles de vidas. Entonces, ¿qué era lo que la retenía? Los años pasados en Gorlian habían endurecido su cuerpo y su corazón. La Reina de la Ciénaga era capaz de matar sin vacilar. ¿Por qué dudaba ahora?

El Devastador rió nuevamente y alzó el cuerpo de Kiara con los dos brazos, por encima de su cabeza. La muchacha estaba demasiado aterrada como para moverse.

«Ahora», se dijo Ahriel. Pero no se movió.

—¿La quieres? ¡Ven a buscarla!

Con un poderoso impulso, el demonio se elevó en el aire, batiendo sus enormes alas de murciélago. Ahriel se quedó abajo, impotente. Vio cómo el Devastador se posaba sobre el filo del cráter, con Kiara. Ahriel envainó la espada y corrió hacia la pared rocosa. El demonio la miró desde arriba, burlón, mientras ella trepaba por la boca del volcán. «¿Por qué no la ha matado aún?», se dijo. «¿A qué espera?»

Pronto lo averiguó. Cuando Ahriel llegó al borde, el Devastador alzó el vuelo de nuevo y se quedó suspendido sobre el abismo. Kiara chilló.

—No —dijo Ahriel.

El demonio soltó a la joven, que cayó con un grito de terror.

«Mi sueño», pensó Ahriel. Por un fugaz instante volvió a ver la sonrisa de Bran en su mente. Y, en alguna parte, lloraba un niño recién nacido.

Oyó la risa cruel del Devastador, y después un recuerdo afloró a su mente.

La voz de Bran.

«Somos grandes, alitas. Y nada...»

—Nada podrá pararnos —susurró Ahriel, con los ojos llenos de lágrimas.

Instintivamente, saltó al abismo para rescatar a Kiara.

Multitud de imágenes cruzaron por su mente, entremezclándose en un confuso caos de recuerdos. Sabía que lo que acababa de hacer era algo muy parecido al suicidio, y, aunque no acababa de entender por qué lo había hecho, sí era consciente de que iba a morir.

Los gritos de Kiara acallaron aquellos pensamientos. Ahriel inspiró hondo y batió las alas con toda la fuerza de su ser. El esfuerzo fue mayor de lo que había imaginado y le produjo un dolor insoportable en la parte superior de la espalda, cuyos músculos estaban atrofiados por no haberlos usado en tanto tiempo; pero ella lo intentó de nuevo. Esta vez, el dolor fue más intenso. Ahriel apretó los dientes y volvió a insistir, tratando de mover las alas con cada fibra de su ser.

Y entonces se oyó algo parecido a un crujido, y sintió que algo se deslizaba por su espalda y caía al vacío.

Era el cepo.

Ahriel no podía creerlo. Batió las alas. Le producía el mismo dolor que antes, pero percibió también que frenaba un poco su caída. Ignorando el dolor, batió las alas con más energía y se lanzó en picado para salvar a Kiara. Su vuelo era torpe e irregular, porque sus alas no respondían igual que antes, pero Ahriel descubrió que, a pesar de todo, no había olvidado cómo volar.

El suelo estaba peligrosamente cerca. Ahriel imprimió más velocidad al movimiento de sus alas y, con una peligrosa maniobra, bajó todavía más, con los brazos por delante.

Sus manos agarraron a Kiara a pocos metros del suelo.

Ahriel no tuvo tiempo de felicitarse por su proeza. El peso de la joven la desequilibró, y ambas siguieron su trayectoria hacia el suelo. Ahriel soltó a Kiara poco antes de caer. La princesa rodó por tierra, pero se levantó enseguida, ilesa.

Ahriel bajó junto a ella. No fue un aterrizaje triunfal; perdió el equilibrio y cayó al suelo con estrépito. Kiara corrió a su lado.

—¡Ahriel! ¿Estás bien?

Ella se incorporó un poco, aturdida.

—¡Puedes volar, Ahriel! ¡Puedes volar! ¿Cómo lo has hecho?

El ángel se levantó y miró a su alrededor. Descubrió el cepo no lejos de allí, y corrió a buscarlo. Al observarlo de cerca, vio que estaba oxidado y muy deteriorado. Se preguntó cuánto tiempo llevaba así, y si habría podido quitárselo años atrás, o había sido necesaria para ello una situación extrema en la que ella sacase toda la fuerza que había en su interior. Probablemente, nunca lo sabría.

De pronto, algo recorrió su espina dorsal. No era una sensación agradable. Instintivamente, alzó la cabeza y miró hacia lo alto del volcán.

—¿Qué pasa? —preguntó Kiara.

—Algo va muy mal ahí arriba.

Se dispuso a emprender el vuelo de nuevo, pero Kiara la retuvo.

—Espera. Llévame contigo.

—No. Es peligroso.

—Llévame contigo. Entre las dos encerraremos de nuevo a esa criatura.

Ahriel quiso negarse de nuevo, pero la miró a los ojos y vio algo en su mirada que le hizo cambiar de opinión. Asintió y, sin una palabra, la cogió en brazos y alzó el vuelo.

Fue bastante más difícil que antes, pero Ahriel no se rindió. Sintió que con cada golpe de sus alas remitía el dolor y recuperaba una energía que había creído perdida.

También había llegado a olvidar lo hermoso que era volar.

Se elevó con Kiara hasta lo alto del volcán, se posó en el borde del cráter y se asomó a su interior.

Lo que vio la dejó horrorizada.

Los dos hechiceros, la reina Marla y el demonio que se hacía llamar el Devastador estaban en pie ante la lápida que se alzaba en el centro del volcán. Frente a ellos se hallaba Kendal, maniatado y arrodillado en el suelo.

Pero lo que inspiró en Ahriel aquella sensación de espanto fue la tumba del Devastador, cuya lápida parecía hervir como si estuviese hecha de lava. Desde su posición, Ahriel oyó las palabras prohibidas que recitaban la reina y sus compañeros, y las reconoció inmediatamente.

—¿Qué es lo que pasa? —preguntó Kiara, insegura, al verla palidecer.

—Esa piedra es mucho más que la tumba de un demonio. Se trata de una entrada al infierno, la dimensión donde moran esas criaturas. Y la están abriendo.

Kiara ahogó un grito de horror.

—Es por Yarael —dijo en voz baja—. Marla teme que vengan más ángeles. Teme haber traspasado el límite de lo tolerable.

—Ella tiene al Devastador bajo su mando —asintió Ahriel—. Los demás demonios obedecerán sus órdenes.

—¡Tenemos que impedírselo!

—No —la detuvo Ahriel—. *Yo* voy a tratar de impedírselo. Tú vas a quedarte aquí.

Kiara abrió la boca para protestar, pero Ahriel extendió las alas —con una mueca de dolor— y, de un poderoso impulso, se elevó en el aire.

Descendió a una prudente distancia. Sus contrarios parecían estar muy concentrados en lo que estaban haciendo y, si se acercaba en silencio, tal vez no advirtieran su presencia. Ahriel se deslizó sigilosamente, calibrando sus opciones. Sabía algo más de lo que le había dicho a Kiara: que la vida de Kendal corría peligro, porque sin duda lo habían elegido como sacrificio humano para que el Guardián de la Puerta del Infierno los escuchara. Tenía que darse prisa, pero todavía no había decidido a quién debía atacar primero, si a Marla o al Devastador. Y era una decisión importante, porque tal vez no tuviese una segunda oportunidad.

Aún estaba pensando en ello cuando percibió un movimiento a su espalda. Se volvió rápidamente y alzó su espada, justo a tiempo para detener la de Kab, que caía sobre ella. Ahriel lo empujó hacia atrás para alejarlo de ella, y los dos se miraron un momento, desafiantes.

—¿De verdad quieres que abran la puerta del infierno? —le preguntó Ahriel.

—Quiero que los karishanos gobernemos sobre los demás reinos —respondió Kab, rechinando los dientes—. ¡Y tú no vas a poder evitarlo, traidora!

Descargó su espada contra ella, pero Ahriel alzó el vuelo y lanzó una estocada que atravesó el cuerpo del capitán de la guardia de Karishia.

Kab la miró con una estúpida expresión de incredulidad en el rostro.

—Tú... no podías volar...

—Así es la vida —respondió ella, retirando la espada.

Kab se desplomó, muerto. Ahriel tuvo el fugaz recuerdo de un bárbaro a quien había derrotado sin despegar los pies del suelo. En esta ocasión se había aprovechado de su ventaja y no había luchado limpiamente. Pero no sentía remordimientos. Se preguntó si debía preocuparse por ello.

Oyó otro rumor a su espalda y se dio la vuelta de nuevo, enarbolando su espada. La punta del arma rozó el pecho de un aterrado Tobin.

—Tú, miserable gusano —siseó Ahriel—. ¿Cómo te has atrevido a deshonrar a tu hermano de esa manera?

—Mi hermano no era más que un vulgar estafador, igual que yo —replicó Tobin con rabia—. ¿Qué te contó? No te dijo que se fue de casa y me dejó solo, ¿verdad?

Ahriel avanzó un poco más. Tobin retrocedió hasta que su espalda chocó contra la pared de roca. Pero en ese momento, la letanía que recitaban Marla y sus compañeros se tornó más siniestra, y la luz de la tumba se hizo aún más intensa. Ahriel comprendió que no podía perder más tiempo.

—Si salimos de ésta —le dijo a Tobin, dominando su furia—, te prometo que te ajustaré las cuentas.

Se volvió hacia la lápida. La palpitante energía que brotaba de ella ejercía una misteriosa fascinación sobre ella, y Ahriel entendió que se debía a que ella misma se había vuelto tan humana que el mal era capaz de tentarla.

Entonces, súbitamente, algo se movió a su espalda, y Ahriel oyó un gemido ahogado y un golpe seco, y cuando se dio la vuelta vio allí a Kiara, con una espada ensangrentada en la mano, y a Tobin en el suelo, muerto.

—Quería... atacarte por la espalda —jadeó ella.

Ahriel vio entonces que Tobin llevaba un puñal en

la mano, y que la espada que blandía Kiara era la del caído Kab.

Contempló el rostro de Tobin y una parte de ella sintió que era como ver morir a Bran de nuevo. Y supo qué era lo que debía hacer.

Con un grito salvaje, echó a correr hacia el centro del cráter.

Marla y los dos nigromantes parecían encontrarse en un misterioso trance. Recitaban las palabras con un tono bajo y monocorde, como si alguien se las estuviese dictando al oído, y sus ojos estaban fijos en la diabólica energía que fluía de la tumba del Devastador.

El demonio, sin embargo, sí percibió que Ahriel se acercaba. Se dio la vuelta y alzó su espada de fuego. Ahriel descargó la suya contra él con toda la fuerza de su ser. El Devastador resistió y devolvió el golpe. Ahriel volteó su espada para apartar la de él. Los aceros chocaron y todo el universo pareció estremecerse.

Por primera vez, el demonio vaciló.

—¿Qué eres?

—Fui un ángel y fui humana, y fui un demonio, pero ahora no soy más que Ahriel.

—No sabes quién eres —rió el Devastador.

—Al contrario. Sé exactamente quién soy.

Ahriel embistió de nuevo. El Devastador detuvo su ataque.

—Puedo dominarte —dijo ella—. Porque fui humana y te conozco. Porque fui un demonio y te comprendo. Y porque fui un ángel y no te temo.

El Devastador rió.

—Demasiado tarde. Mis hermanos están en camino, y ni siquiera un ahriel como tú será capaz de detenerlos.

Ahriel volvió la mirada hacia la tumba del Devastador. Entrevió los rostros llenos de odio de los demonios, que ya llegaban. Y sonrió.

—Ya lo he hecho —dijo.

Mientras descargaba aquel último golpe, los recuerdos afloraron a su mente. La fría mirada de Marla, la sonrisa de Bran, las palabras del viejo Dag, el rostro de Tobin, la risa borboteante del Rey de la Ciénaga, el llanto de un niño recién nacido. Y algo dentro de su ser explotó.

La espada de Ahriel, aquella que les había arrebatado a los asesinos de Bran, aquella que había matado al Rey de la Ciénaga y a tantos otros, se hundió en el cuerpo del Devastador. Ahriel entrecerró los ojos y transmitió toda su fuerza a aquella espada. El demonio chilló.

El círculo se rompió.

Y, de pronto, la entrada del infierno se transformó en una especie de oscuro agujero que giraba y giraba. Con un espantoso grito, el Devastador, herido de muerte, se precipitó por el agujero, de vuelta a su dimensión.

Ahriel sintió que una poderosa fuerza de succión la atraía poderosamente hacia la negra abertura. Vio a uno de los nigromantes desaparecer en su interior con un grito, y se lanzó hacia adelante para rescatar a Kendal.

Lo agarró por un tobillo antes de que desapareciese por la puerta del infierno. Se aferró como pudo a un saliente del suelo, mientras sujetaba a Kendal con la otra mano.

—¡Tenemos que cerrar esa cosa! —gritó Kendal, medio ahogado.

Ahriel no respondió. Al mirar junto a ella, vio que Marla también tenía problemas. Su joven rostro estaba agarrotado por una expresión de terror, y se aferraba a una roca con ambas manos, mientras el infierno tiraba de ella.

Ahriel sabía exactamente lo que debía hacer. Tras asegurarse de que el joven estaba bien sujeto, se levantó y, luchando contra la fuerza invisible que pretendía absorberla, avanzó hacia Marla.

Pero una sombra se interpuso entre ellas.

—No tan deprisa —dijo el hechicero. Ahriel lo reconoció: era el que le había puesto el cepo, tantos años atrás.

—Déjame pasar —dijo ella, conteniendo su ira.

—No voy a permitir que arruines mi gran obra, criatura.

Ahriel alzó su arma.

—Háblame con más respeto, humano. Estás ante la Reina de la Ciénaga.

Descargó su espada sobre él, pero el nigromante detuvo el golpe con su bastón, y Ahriel percibió el torrente de aquella magia corrupta que manaba del objeto.

—Mírate —se rió el sectario—. El cieno de Gorlian ha manchado tu alma. Ya eres una de nosotros.

Ahriel apretó los dients.

—Jamás.

Volteó la espada con violencia y logró apartar el bastón del hechicero. El hombre trató de recuperar el equilibrio, pero la fuerza de succión de la puerta del infierno tiraba de él irremediablemente. Ahriel alargó la mano para sujetarlo por la túnica.

—Soy libre —le dijo solamente, mirándolo a los ojos.

Y entonces lo lanzó hacia la puerta del infierno.

El nigromante desapareció por ella con un grito desesperado. Ahriel vio, sombría, cómo la oscuridad se lo tragaba.

Después, siguió caminando en dirección a Marla. Ella la miró, temerosa.

—¿Qué vas a hacer? —jadeó.

—Cerrar la puerta del infierno.

Marla comprendió lo que pretendía y abrió los ojos al máximo, espantada.

—¡No, Ahriel! ¡No puedes hacerlo! ¡Soy tu protegida!

Ahriel la separó de su asidero. Marla chillaba y pataleaba, pero Ahriel era más fuerte.

—He escondido Gorlian —dijo ella entonces—. Si yo muero, nunca lo encontrarás.

—¿Por qué querría encontrarlo?

—Para volver por él —dijo Marla.

«Lo sabe», pensó Ahriel. Vaciló sólo un momento.

—Lo encontraré por mí misma —replicó—. Igual que encontré la manera de volver a volar sin la ayuda de tus nigromantes. Adiós, Marla.

Y la soltó.

—¡¡Aaaahriel!! —chilló ella.

Se precipitó por el agujero, y el infierno se la tragó. Aún quedó en el aire una llamada desesperada:

—¡....eeeel!

Después, la puerta se cerró.

Y silencio.

Ahriel se quedó allí, de pie, inmóvil, con la vista fija en la tumba del Devastador. Kendal se levantó trabajosamente, jadeando.

—¡Ahriel... lo hemos conseguido!

Ella no respondió. Kiara se acercó en silencio y colocó una mano sobre el hombro de Kendal. Éste comprendió y guardó silencio.

Entonces, Ahriel se volvió hacia ellos.

—Volved a casa —les dijo—. Volved a casa y tratad de reconstruir el mundo.

—¿No... vienes con nosotros? —titubeó Kiara.

Ahriel negó con la cabeza.

—Tengo algo que hacer. Algo muy importante. Y supongo que me mantendrá ocupada bastante tiempo.

Kendal fue a decir algo, pero la expresión de Ahriel lo sobrecogió.

—Había pensado —dijo Kiara— que tal vez querrías ser mi ángel guardián, ahora que Yarael... —se le quebró la voz.

Ahriel la cogió por los hombros y la hizo alzar la cabeza para mirarla a los ojos.

—Kiara —le dijo con suavidad, pero también con firmeza—. No necesitas un ángel guardián que te diga lo que debes hacer. Tienes que valerte por ti misma, y aprender de tus errores. Ahora eres una reina: debes tomar tus propias decisiones.

Kiara asintió, con los ojos llenos de lágrimas. Ahriel sonrió —por primera vez en mucho tiempo— y se separó de ella.

—¿A dónde vas? —inquirió Kendal—. ¿Vuelves con los ángeles?

—No —respondió ella, pero no añadió nada más.

—Adiós, Ahriel —dijo Kiara, con un nudo en la garganta.

—¿Volveremos a verte? —preguntó Kendal.

Ahriel sonrió de nuevo.

—Tal vez —dijo solamente.

Y entonces alzó el vuelo, y Kiara y Kendal la vieron alejarse hacia el crepúsculo, más hermosa que cualquier ángel, más vieja que los demonios y más sabia que todos los hombres.

Epílogo

quella noche, durmiendo bajo todas las estrellas del universo, Ahriel soñó con el bebé.

Meses después de la muerte de Bran, el viejo Dag
lo había llevado a la corte para presentarlo a la Reina
de la Ciénaga.

—Lo he encontrado cerca de mi casa —dijo Dag,
mostrándole la criatura.

—¿Y por qué me lo traes aquí? —replicó ella,
frunciendo el ceño—. ¿Para que lo mate?

Dag vaciló.

—No, señora. Yo... pensé que tal vez querríais
criarlo.

—Aquí le espera un futuro lleno de dolor y miseria —dijo la Señora de Gorlian—. Deberías matarlo:
le harías un favor.

—Sospecho que su madre quería que viviera.

—¿Por qué crees eso? Según dices, lo abandonó en
la Ciénaga, ¿no?

—Cerca de mi casa —puntualizó el viejo Dag—. Para que yo lo encontrara.

La Reina de la Ciénaga enarcó una ceja.

—¿De veras? Podría habértelo entregado personalmente, ¿no?

—Tal vez se sentía avergonzada... no sé. Sólo sé que no tuvo valor para matarlo ella.

—Lo haré yo, entonces —dijo ella, sacando su espada de la vaina—. Acércamelo.

El bebé lloraba. El viejo Dag vaciló, pero se aproximó lentamente. Ahriel alzó la espada.

—Antes de eso —la detuvo el humano—, querría que vierais una cosa, señora.

Dag retiró las pieles que cubrían al niño y le mostró la espalda.

La mano de la Reina de la Ciénaga vaciló.

Entre los omóplatos del bebé había dos pequeñas protuberancias blancas.

—Le saldrán alas —dijo Dag con gravedad—. Bran se habría sentido orgulloso de verlo volar, ¿no es cierto?

—Bran está muerto —dijo la Señora de Gorlian.

Pero bajó la espada y le dio la espalda.

—Vete —dijo con voz ronca—. Haz lo que quieras con él, pero llévatelo lejos de aquí.

El viejo Dag volvió a cubrir al chiquillo y asintió. Cuando estaba a punto de salir por la puerta, la Reina de la Ciénaga le dijo:

—Ah, y... Dag...

—¿Señora…?

—Si sobrevive… cuando crezca… supongo que hará preguntas…

—Es de suponer, sí.

—No las contestes.

Dag suspiró, pero no dijo nada.

Aquella fue la última vez que Ahriel los vio a los dos.

Pero sabía que aquel pequeño, mitad humano, mitad ángel, había crecido y seguía vivo en algún lugar de Gorlian.

Cuando despertó al alba, Ahriel recordó las palabras de Marla: «He escondido Gorlian. Si yo muero, nunca lo encontrarás».

Respiró hondo. Sabía que tal vez podía pasarse toda la vida buscando aquella bola de cristal; una vida que, para los habitantes de Gorlian, transcurriría muchísimo más rápido. Pero contaba con que aquella criatura habría heredado de ella la longevidad angélica, y esperaba poder rescatarlo antes de que fuera tarde.

«Te encontraré», juró bajo la luz de la aurora. «Te encontraré y te sacaré de allí. Y los dos seremos libres.»

Alzó el vuelo y se alejó hacia el sol naciente, y sus alas parecían arder a la luz del alba como si estuviesen envueltas en llamas.

www.lauragallego.com

LAURA GALLEGO (Quart de Poblet, 1977) es Licenciada en Filología Hispánica y actualmente está trabajando en su tesis doctoral. Empezó a escribir muy joven, casi siempre literatura fantástica, y comenzó a publicar en 1998 cuando obtuvo el Premio Barco de Vapor con su obra *Finis Mundi,* que volvió a ganar dos años después con *La leyenda del Rey Errante.* Ha publicado más de veinte obras y ha sido traducida a varios idiomas, entre ellos el inglés, el francés, el italiano, el alemán, el coreano y el rumano. Cabe destacar, entre su producción, *Crónicas de la Torre, La emperatriz de los Etéreos* y la trilogía *Memorias de Idhún.* En Laberinto ha publicado también, *Alas negras,* continuación de *Alas de fuego.*

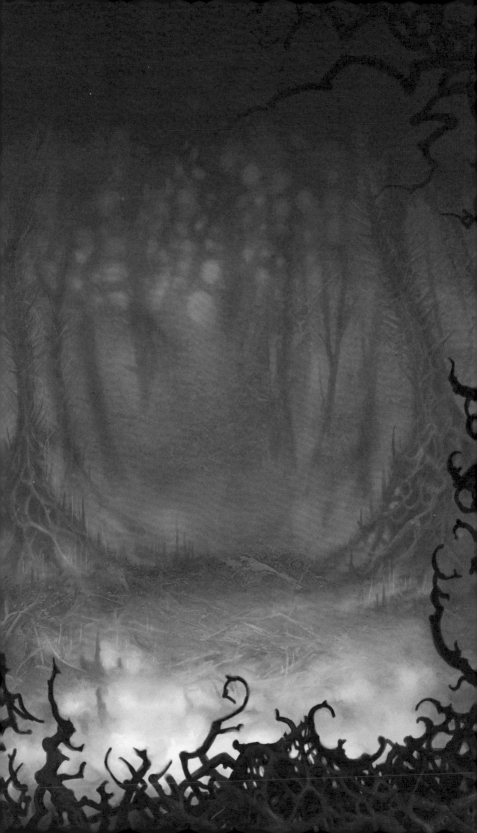